Le plus grand humoriste est un auteur de Fantasy. Pratchett est né en 1948 n'en savons pas davantage sur ses origines, ses études ou sa vie amoureuse. Son hobby, prétend-il, c'est la culture des plantes carnivores, mais ceux qui croient ce qu'il dit s'exposent à un rectificatif : d'après lui ce jardin secret l'intéresse, mais nettement moins qu'on ne l'imagine ; on ne peut pas vraiment le considérer comme accro à ce périlleux passe-temps. Que dire encore de son programme politique ? Il s'engage sur un point crucial : augmentons, dit-il, le nombre des orangs-outans à la surface du globe, et les grands équilibres seront restaurés. Voilà un écrivain qui donnera du fil à retordre à ses biographes !

Sa vocation fut précoce : il publia sa première nouvelle en 1963 — à quinze ans ! — et son premier roman en 1971. Hélas, il fut très tôt pressé par le souci de gagner sa vie : journaliste (jusqu'en 1980) puis publicitaire au Central Electricity Generating Board (1980-1987), il apprit l'écriture sur le tas. D'emblée, il s'affirma comme un grand parodiste : *La Face obscure du soleil* (1976) tourne en dérision *L'Univers connu* de Larry Niven — avec une touche plus personnelle de chatoiements à la Jack Vance ; *Strata* (1981) ridiculise une fois de plus la hard S.-F. en partant de l'idée — soutenue par Ptolémée — que la Terre est effectivement plate.

Mais le grand tournant est pris en 1983. Pratchett publia alors le premier roman de la série du Disque-Monde, qui n'est pas seulement une variation (dans l'ordre des mots) sur *L'Anneau-Monde* de Niven, mais surtout un pastiche héroï-comique (dans l'ordre des choses) de Tolkien et de ses imi-tateurs. Pourquoi eux ? Parce que, répond notre auteur, « la S.-F., c'est la Fantasy... avec des boulons ». Et il le prouve !

LE HUITIÈME SORTILÈGE

DU MÊME AUTEUR
CHEZ POCKET

SCIENCE-FICTION
Collection dirigée par Jacques Goimard

TERRY PRATCHETT

Les annales du Disque-monde

LE HUITIÈME SORTILÈGE

Titre original :

THE LIGHT FANTASTIC

Traduit de l'anglais par Patrick Couton

1re édition : Colin Smythe Ltd, G.-B.

© Terry Pratchett, 1983
© Librairie l'Atalante, 1993, pour la présente traduction française
ISBN : 2-266-07155-6

Le soleil se leva lentement, comme s'il doutait de l'utilité de cet effort.

Un nouveau jour naquit sur le Disque, mais très graduellement, et voici pourquoi :

Lorsque la lumière entre en contact avec un puissant champ de magie, elle perd toute notion d'urgence. Elle réduit carrément sa vitesse. Et sur le Disque-monde la magie était fâcheusement puissante, autant dire que la douce lumière jaune de l'aube se répandait sur le paysage endormi telle la caresse d'un amant attentionné ou, selon certains, comme de la mélasse. Elle marquait une pause pour emplir les vallées. Elle s'amoncelait au pied des chaînes de montagnes. Quand elle atteignait Cori Celesti, l'aiguille de pierre grise et de glace verte haute de vingt kilomètres qui formait le moyeu du Disque, résidence des dieux, elle s'accumulait jusqu'à finir par déferler en un gigantesque tsunami paresseux, dans un silence de velours, sur les terres enténébrées au-delà.

Un spectacle qu'on ne voyait sur aucun autre monde.

Évidemment, aucun autre monde ne se faisait véhiculer dans l'infini étoilé à dos de quatre éléphants géants, eux-mêmes juchés sur la carapace d'une tortue plus gigantesque encore. Le nom qu'elle — ou il, selon une autre école de pensée — portait, cette tortue, c'était la

Grande A'Tuin ; elle — à moins que ce ne soit « il » — ne joue aucun rôle de premier plan dans ce qui suit, mais il demeure vital pour une bonne compréhension du Disque qu'elle — ou il — soit présente — présent — par-dessous les mines, la vase marine et les faux os fossiles déposés là par un Créateur qui n'avait rien de mieux à faire que de contrarier les archéologues et leur inspirer des idées abracadabrantes.

La Grande A'Tuin, la tortue stellaire aux écailles nappées de givre de méthane, grêlées de cratères météoriques, récurées à la poussière d'astéroïdes. La Grande A'Tuin aux yeux comme des océans antiques, au cerveau de la dimension d'un continent, dans lequel les pensées font leur chemin comme de petits glaciers miroitants. La Grande A'Tuin aux immenses nageoires lentes, indolentes, à la carapace lustrée par les astres, qui peine dans la nuit galactique sous le poids du Disque. Aussi colossale que des mondes. Aussi vieille que le Temps. Aussi patiente qu'une brique.

A la vérité, les philosophes se fourvoient complètement. La Grande A'Tuin prend en réalité du bon temps.

La Grande A'Tuin est la seule créature de tout l'univers à savoir précisément où elle va.

Bien entendu, les philosophes débattent depuis des années sur la destination de la Grande A'Tuin et ils ont souvent avoué leur inquiétude quant à l'aboutissement de leur recherche.

Ils ont à peu près deux mois pour la découvrir, cette destination. Après quoi, ils auront *vraiment* du mouron à se faire...

Un autre sujet préoccupe depuis longtemps les philosophes les plus imaginatifs du Disque : le sexe de la Grande A'Tuin. Et il leur en a coûté beaucoup de temps et de contretemps pour tenter de l'établir une fois pour toutes.

En fait, tandis que la formidable forme sombre défile nonchalamment comme une interminable brosse à cheveux en écaille de tortue, les résultats de la dernière tentative en date arrivent en vue.

En chute libre, hors de tout contrôle, voici la coque de bronze de *l'Intrépide*, espèce de vaisseau spatial néolithique construit et poussé par-dessus le Rebord par les prêtres-astronomes de Krull, pays commodément situé à l'extrême bord du monde, ce qui prouve, quoi qu'on en dise, qu'un lancement du Disque ne relève pas forcément du sport.

A l'intérieur du vaisseau : Deuxfleurs, le premier touriste du Disque. Il vient de passer quelques mois à l'explorer et présentement il le quitte à grande vitesse pour des raisons un brin compliquées mais afférentes à une tentative d'évasion de Krull.

Cette tentative a réussi à mille pour cent.

Bien que tout le désigne aussi comme le *dernier* touriste du Disque, il admire le panorama.

En piqué, à quelque trois kilomètres au-dessus de lui, voici Rincevent le sorcier, accoutré de ce qui passe sur le Disque pour une tenue spatiale. Imaginez un scaphandre conçu par des gens qui n'auraient jamais vu la mer. Six mois plus tôt, c'était un sorcier recalé parfaitement ordinaire. Puis il avait rencontré Deuxfleurs, lequel l'avait engagé comme guide à un salaire exorbitant, à la suite de quoi il n'avait pour ainsi dire pas cessé de se faire terroriser, pourchasser, tirer dessus, de s'accrocher à des hauteurs vertigineuses sans espoir de salut, voire, comme dans le cas qui nous occupe, de dévisser de hauteurs vertigineuses.

Il n'admire pas le panorama, le sorcier, parce que sa vie passée n'arrête pas de lui défiler sous les yeux et qu'elle lui bouche la vue. Il apprend par la même occasion pourquoi, lorsqu'on enfile une tenue spatiale, il est d'importance vitale de ne pas oublier le casque.

On pourrait en rajouter à l'envi pour expliquer ce qui a conduit notre duo à passer par-dessus le bord du monde, et pourquoi le Bagage de Deuxfleurs, qui aux dernières nouvelles cherchait désespérément à le suivre sur ses centaines de petites pattes, n'est pas un coffre ordinaire, mais de telles questions demandent du temps et le jeu n'en vaut pas la chandelle. Pour vous citer un exemple, on raconte qu'au cours d'une soirée quelqu'un avait demandé au célèbre philosophe Ly Tin Weedle : « Qu'est-ce que vous faites ici ? » et que la réponse avait pris trois ans.

Autrement important est l'événement qui se prépare loin au-dessus, beaucoup plus haut qu'A'Tuin, les éléphants et le sorcier en voie rapide d'extinction. Le tissu même du temps et de l'espace est sur le point de passer dans l'essoreuse.

L'air était gras de magie — une impression caractéristique — et âcre de la fumée des bougies en cire noire dont personne d'avisé ne se serait risqué à chercher l'origine précise.

Quelque chose d'étrange émanait de cette pièce située au fond des caves de l'Université Invisible, premier institut de magie du Disque. En particulier, elle présentait un excédent de dimensions, pas exactement perceptibles mais qui glissaient hors de portée de la vue. Les murs étaient couverts de symboles occultes et la majeure partie du sol disparaissait sous le Sceau de Stase Octuple auquel, dans les cercles de magie, on attribuait le pouvoir d'arrêt d'une demi-brique lancée d'une main sûre.

Pour tout ameublement la pièce renfermait un lutrin de bois sombre, sculpté à la forme d'un oiseau — enfin, pour être franc, à la forme d'un truc à plumes qu'il vaut probablement mieux ne pas examiner de trop près —, et sur ledit lutrin, retenu par une lourde chaîne bardée de cadenas, reposait un livre.

Un gros livre, quoique pas particulièrement impressionnant. D'autres ouvrages, dans les salles de lecture de l'Université, s'ornaient de couvertures serties de pierres et marqueteries précieuses, ou de reliures en peau de dragon. Celui-ci était simplement recouvert de cuir fatigué. Il offrait l'aspect de ces livres qualifiés de « légèrement défraîchis » dans les catalogues des bibliothèques, bien qu'il eût été plus honnête de reconnaître qu'il avait plutôt l'air avachi, voire achevali.

Des fermoirs le fermaient, comme de bien entendu. Ils n'étaient pas décorés, seulement très lourds — comme la chaîne qui servait moins d'attache classique de lutrin que de longe pour prévenir toute escapade.

On aurait dit l'œuvre de quelqu'un qui avait en tête un but bien défini et qui avait passé la majeure partie de sa vie à confectionner des harnais de dressage pour éléphants.

L'air s'épaissit et tourbillonna. Les pages du livre se mirent à se froisser, d'une manière horrible, intentionnelle, et de la lumière bleue filtra d'entre elles. Le silence de la pièce se replia sur lui-même comme un poing qui se serre tout doucement.

Une demi-douzaine de sorciers en chemises de nuit jetaient à tour de rôle un coup d'œil à l'intérieur par le petit judas de la porte. Aucun sorcier n'arrivait à dormir avec ce qui se passait ; une marée de magie brute accumulée montait dans toute l'université.

« Bon, fit une voix. Qu'est-ce qui se passe ? Et pourquoi ne m'a-t-on pas prévenu ? »

Galder Ciredutemps, Grand Conjureur Suprême de l'Ordre de l'Étoile d'Argent, Seigneur Impérial du Bourdon Sacré, Ipsissimus de Huitième Niveau et trois cent quatrième Chancelier de l'Université Invisible, en imposait vraiment, malgré sa chemise de nuit rouge brodée à la main de runes cabalistiques, malgré son long bonnet à pompon, malgré le bougeoir Colas-mon-p'tit-frère qu'il tenait à la main. Même chaussé de mules à poils longs et fanfreluches.

Six figures craintives se tournèrent vers lui.

« Euh... on vous a prévenu, seigneur, fit un des sous-sorciers. C'est pour ça que vous êtes ici, eut-il la bonne idée d'ajouter.

— Je veux dire : pourquoi ne m'a-t-on pas prévenu *avant* ? jeta Galder, qui se fraya un chemin jusqu'au judas.

— Euh... avant qui, seigneur ? » demanda le sorcier.

Galder lui lança un regard furibond et en risqua un autre, bref, par le judas.

L'atmosphère de la pièce pétillait à présent des minuscules étincelles que produisent les atomes de poussière carbonisés dans le flux de magie pure. Le Sceau de Stase commençait à se cloquer et se racornir sur les bords.

On appelait le livre en question l'In-Octavo et, de toute évidence, ce n'était pas un livre ordinaire.

Il existe bien entendu nombre d'ouvrages célèbres de magie. On pourrait citer le *Necrotelicomnicon*, aux pages en peau d'un lézard disparu ; on pourrait mentionner le *Livre des Emergeants d'Onze Heures*, écrit par une mystérieuse et paresseuse secte lamaïste ; on pourrait rappeler que le *Grimoire de la Grande Marrade* contient censément la seule blague originale de l'univers. Mais ils font figure de vulgaires pamphlets auprès de l'In-Octavo que, dit la rumeur, le Créateur de l'univers aurait oublié, tête en l'air, peu après avoir achevé son grand œuvre.

Les huit sortilèges emprisonnés dans ses pages menaient leur vie propre, secrète et embrouillée, et il était généralement admis que...

Galder plissa le front en observant la pièce en effervescence. Évidemment, il ne restait plus que sept sortilèges désormais. Un jeune crétin d'étudiant avait un jour jeté un coup d'œil en douce dans le livre, et l'un des sortilèges s'était échappé pour élire domicile dans son esprit. Personne n'avait jamais réussi à comprendre comment le phénomène s'était produit. C'était quoi, son nom, déjà ? Grincedent ?

Des étincelles octarines et violettes scintillèrent sur le dos du livre. Une fine volute de fumée montait à présent du lutrin, et les lourds fermoirs de métal de l'ouvrage avaient manifestement l'air de souffrir.

« Pourquoi les sortilèges s'agitent-ils autant ? » demanda un jeune sorcier.

Galder haussa les épaules. Il n'allait pas le montrer, bien sûr, mais il commençait sérieusement à s'inquiéter. En tant que sorcier confirmé de huitième niveau il distinguait les formes à demi imaginaires qui apparaissaient fugitivement dans l'air frémissant, des formes enjôleuses qui l'invitaient du geste. De la même façon que des moucherons surgissent avant un orage, les fortes concentrations de magie attiraient toujours des choses des dimensions de la Basse-Fosse, en proie au chaos — des choses dégoûtantes, baveuses, aux organes sens dessus dessous, perpétuellement en quête d'une brèche par où se faufiler dans le monde des hommes [1].

Il fallait arrêter ça.

« J'ai besoin d'un volontaire », annonça-t-il d'une voix ferme.

Il y eut un brusque silence. Le seul bruit provenait de derrière la porte, un petit bruit désagréable de métal cédant sous la contrainte.

« Bon, très bien, dit-il. Dans ce cas je vais avoir besoin d'une paire de pinces à épiler en argent, d'à peu près un litre de sang de chat, d'un petit fouet et d'une chaise... »

---

1. Nous nous abstiendrons de décrire ces choses, car même les moins moches évoquent le fruit d'un croisement entre un octopode et une bicyclette. Il est bien connu que les choses d'univers indésirables sont toujours à l'affût d'un accès vers celui des humains, pour des raisons qu'on pourrait ainsi transcrire : c'est commode pour le bus et ça rapproche des commerces.

On prétend que le contraire du bruit, c'est le silence. C'est faux. Le silence n'est que l'absence de bruit. Le silence aurait passé pour un vacarme effroyable auprès de la soudaine implosion feutrée de non-bruit qui frappa les sorciers avec la force explosive d'une aigrette de pissenlit.

Une épaisse colonne de lumière crachouillante s'éleva du livre, heurta le plafond dans un éclaboussement de flammes et disparut.

Galder gardait les yeux rivés sur le trou, sans se soucier du feu qui lui couvait ici et là dans la barbe. Il pointa un doigt dramatique.

« Aux caves supérieures ! » s'écria-t-il, puis il bondit à l'assaut des marches de pierre. Dans un crépitement de mules et une envolée de chemises de nuit, les autres sorciers le suivirent et s'affalèrent les uns sur les autres dans leur empressement à passer en dernier.

Ils arrivèrent néanmoins tous à temps pour voir la boule de feu à charge occulte disparaître dans le plafond à l'étage au-dessus.

« Argh », fit le plus jeune sorcier qui désigna le sol.

La pièce avait fait partie de la bibliothèque jusqu'à ce que la magie l'envahisse et mélange brutalement les particules potentielles de tout ce qu'elle croisait sur sa route. Il était donc raisonnable de penser que les petits tritons cramoisis avaient appartenu au plancher et que la crème à l'ananas avait autrefois été des livres. Et plusieurs sorciers jurèrent par la suite que le petit orangoutan tristounet assis au milieu ressemblait furieusement au bibliothécaire en chef.

Galder regardait fixement le plafond. « A la cuisine ! » beugla-t-il avant de patauger dans la crème jusqu'à l'escalier suivant.

Personne ne découvrit jamais en quoi s'était transformé le grand fourneau de cuisine en fonte, parce qu'il avait défoncé le mur et réussi son évasion avant que le groupe débraillé de mages hallucinés ne fasse irruption.

On retrouva bien plus tard le chef préposé aux légumes dans le chaudron de soupe ; il bredouillait des phrases incohérentes, du genre : « Les jambonneaux ! Les horribles jambonneaux ! »

Les derniers lambeaux de magie, désormais ralentis, disparaissaient dans le plafond.

« A la Grande Salle ! »

L'escalier était beaucoup plus large à présent, et mieux éclairé. Hors d'haleine et fleurant l'ananas, les plus valides des sorciers arrivèrent en haut des marches alors que la boule de feu avait déjà atteint le centre de l'immense hall balayé de courants d'air qu'était la salle principale de l'Université. La boule restait suspendue, immobile en dehors d'une petite protubérance qui gonflait et crépitait de temps à autre à sa surface.

Les sorciers fument, chacun le sait. Ce qui explique sans doute le concert de toux caverneuses et de sifflements en dents de scie qui s'éleva derrière Galder tandis qu'il évaluait la situation et se demandait s'il allait oser chercher un coin où se cacher. Il empoigna un étudiant effrayé. « Trouvez-moi voyants, visionnaires, divinateurs, extralucides ! aboya-t-il. Je veux qu'on étudie ça ! »

Quelque chose se dessinait à l'intérieur de la boule de feu. Galder se protégea les yeux et scruta la forme qui se créait devant lui. Pas d'erreur. Il s'agissait de l'univers.

Il en était sûr parce qu'il en possédait un modèle réduit dans son cabinet de travail et on s'accordait à le trouver beaucoup plus impressionnant que l'original. Devant les possibilités qu'offraient les semences de perles et le filigrane d'argent, le Créateur s'était senti bien embarrassé.

Mais l'univers miniature à l'intérieur de la boule de feu était affreusement... réel, quoi. Il ne lui manquait qu'une chose : la couleur. Il était d'un blanc brumeux et translucide.

On y voyait la Grande A'Tuin, les quatre éléphants et le Disque lui-même. D'où il était, Galder distinguait mal la surface, mais il avait l'absolue conviction qu'elle serait la copie conforme de la réalité. Il reconnut cependant la réplique miniature de Cori Celesti, au faîte duquel les dieux du monde, querelleurs et quelque peu embourgeoisés, vivaient dans un palais d'appartements trois-pièces de marbre, d'albâtre et de moquette brute qu'ils avaient choisi d'appeler Dunmanifestine. C'était toujours extrêmement contrariant pour les citoyens du Disque épris de culture que de se savoir régis par des dieux pour qui le fin du fin en matière artistique consistait en un carillon de porte musical.

Le petit univers embryonnaire commença lentement à se déplacer, de guingois...

Galder essaya de crier, mais sa voix refusa de sortir.

Doucement mais avec la force irrésistible d'une explosion, la forme se dilata.

Il la vit, horrifié, puis étonné, passer à travers lui avec la légèreté d'une pensée. Il tendit une main et regarda les spectres blêmes de strates rocheuses lui couler entre les doigts dans un silence agité.

La Grande A'Tuin, plus vaste qu'une maison, avait déjà tranquillement sombré sous le niveau du sol.

Les sorciers derrière Galder baignaient jusqu'à la taille dans des océans. Un bateau pas plus grand qu'un dé à coudre attira un instant le regard de Galder avant que le courant rapide ne l'entraîne à travers les murs, hors de vue.

« Au toit ! » parvint-il à crier, tendant un doigt tremblant vers le ciel.

Les sorciers auxquels il restait assez de tête pour penser et assez de souffle pour courir le suivirent à toutes jambes à travers des continents qui se dissolvaient en douceur pour franchir la consistance de la pierre.

La nuit était tranquille, teintée de la promesse de l'aube. Un croissant de lune se couchait. Ankh-Morpork, la plus importante cité des terres en bordure de la mer Circulaire, dormait.

Cette affirmation n'est pas tout à fait vraie.

D'une part, les secteurs de la ville habituellement dévolus, disons, à vendre des légumes, ferrer les chevaux, ciseler de délicats petits bibelots de jade, changer de l'argent et fabriquer des tables, dans leur ensemble donc, ces secteurs dormaient. A moins d'insomnies. Ou de levers inopinés au cours de la nuit, comme cela arrive, pour une visite aux toilettes. D'autre part, nombre de citoyens moins respectueux des lois étaient parfaitement éveillés et, par exemple, s'introduisaient par des fenêtres qui ne leur appartenaient pas, tranchaient des gorges, s'agressaient entre eux, écoutaient de la musique tonitruante dans des caves enfumées et en général s'amusaient beaucoup plus. Mais la plupart des animaux étaient endormis, en dehors des rats. Et aussi des chauves-souris, ça va de soi. Pour ce qui est des insectes...

Le fait est qu'une description reste très rarement précise de bout en bout, et durant le patriciat d'Olaf Quimby II une loi fut votée dans une tentative énergique de mettre un terme à cet état de choses et d'introduire une certaine honnêteté dans les comptes rendus. Ainsi, quand une légende prétendait à propos d'un héros glorieux que « tout le monde vantait ses prouesses », tout barde qui tenait à la vie se hâtait d'ajouter : « à l'exception de deux ou trois personnes de son village qui le tenaient pour un menteur et d'un tas d'autres qui n'avaient jamais vraiment entendu parler de lui ». Les métaphores poétiques se limitaient strictement aux énoncés du genre : « son puissant coursier filait comme le vent par une journée relativement calme, disons de force trois », et toute vantardise sur un être aimé doté d'un minois à lancer un millier de navires, telle cette héroïne antique à nom de poire, devait s'accompagner de la preuve que l'objet du désir avait effectivement la contenance d'une bouteille de champagne.

Ainsi Quimby périt-il sous les coups d'un poète mécontent au cours d'une expérience menée dans l'enceinte du palais pour prouver la justesse controversée du proverbe : « La plume est plus forte que l'épée », lequel proverbe on rectifia en sa mémoire par l'ajout de la phrase : « Seulement si l'épée est très courte et la plume très pointue. »

Bref. En gros soixante-sept, peut-être soixante-huit pour cent de la cité dormaient. Les autres citoyens, qui vaquaient furtivement à leurs occupations généralement illégales, ne remarquèrent pas pour autant le flux blafard qui s'écoulait dans les rues. Seuls les sorciers, habitués à distinguer l'invisible, le virent moutonner tout là-bas dans les champs.

Le Disque, de par sa platitude, n'a pas d'horizon réel. Tous les hardis navigateurs à qui l'observation prolongée d'œufs et d'oranges donnait de drôles d'idées et qui s'embarquaient pour les antipodes avaient tôt fait d'apprendre que si les navires semblaient parfois disparaître au loin par-dessus le rebord du monde, c'était parce qu'ils disparaissaient bel et bien par-dessus le rebord du monde.

Il y avait cependant une limite, même à la vision de Galder, dans l'air tourbillonnant de brume et de poussière. Il leva les yeux. Surplombant de toute sa hauteur l'Université se dressait la vieille et sinistre Tour de l'Art, prétendument le plus ancien bâtiment du Disque, au célèbre escalier en spirale de huit mille huit cent quatre-vingt-huit marches. De son toit crénelé, repaire de corbeaux et de gargouilles étonnamment vigilantes, un sorcier serait en mesure de voir jusqu'au rebord même du Disque. Au bout d'une dizaine de minutes passées à cracher ses poumons, bien entendu.

« Bordel de merde, marmonna-t-il. A quoi bon être sorcier, alors ? *Avyento, thessaleux !* Je vais voler ! A moi, esprits de l'air et des ténèbres ! »

Il tendit une main déformée en direction d'une partie éboulée du parapet. Du feu octarine jaillit de sous ses ongles tachés de nicotine et s'écrasa contre la pierre en décomposition loin au-dessus.

Elle tomba. Par un échange finement calculé de vélocités, Galder s'éleva, dans un battement de chemise de nuit autour de ses jambes osseuses. Plus haut, toujours plus haut, il monta, s'élançant dans la lumière pâle comme un... comme un... d'accord, comme un vieux mais puissant sorcier projeté en l'air d'un coup de pouce adroitement pesé sur la balance de l'univers.

Il atterrit parmi les détritus d'anciens nids, assura son équilibre et contempla en bas le spectacle vertigineux d'une aube discale.

A cette époque de la longue année, la mer Circulaire était presque au couchant de Cori Celesti et, tandis que la lumière du jour se répandait sur les terres entourant Ankh-Morpork, l'ombre de la montagne fauchait la contrée tel le gnomon du cadran solaire divin. Mais du côté de la nuit, luttant de vitesse avec la lumière alanguie en direction du rebord du monde, une ligne de brume blanche déferla.

Il y eut un craquement de brindilles derrière Galder. Il se retourna pour voir Ymper Trymon, le second dans la hiérarchie de l'Ordre, le seul autre sorcier qui avait pu le suivre.

Galder l'ignora pour l'instant, il ne se soucia que de garder une prise solide sur la maçonnerie et de renforcer ses sortilèges personnels de protection. La promotion était lente dans une profession traditionnellement synonyme de longévité, et l'on acceptait que les jeunes sorciers cherchent régulièrement leur avancement en s'installant dans les chaussures bouclées des morts, après les avoir préalablement vidées de leurs occupants. En outre, il y avait quelque chose d'inquiétant chez le jeune Trymon. Il ne fumait pas, il ne buvait que de l'eau bouillie, et Galder éprouvait le désagréable soupçon qu'il était habile. Il ne souriait pas assez souvent et il aimait les chiffres et les organigrammes qui représentaient des tas de carrés d'où partaient des flèches pointées vers d'autres carrés. En bref, le genre d'homme capable d'employer l'expression « gestion du personnel » avec un grand sérieux.

L'ensemble du Disque visible était à présent recouvert d'une peau blanche chatoyante qui l'épousait parfaitement.

Galder baissa les yeux sur ses mains et les vit gantées d'un pâle réseau de fils brillants qui suivaient chaque mouvement.

Il reconnut le type de sortilège. Il en avait utilisé de semblables lui-même. Mais les siens étaient plus faibles... beaucoup plus faibles.

« C'est un sortilège de Changement, fit Trymon. Le monde est en train de changer. »

J'en connais, songea Galder, lugubre, qui auraient eu la décence de mettre un point d'exclamation à la fin d'une constatation pareille.

Il y eut un son lointain d'une grande pureté, aigu et perçant, comme un cœur de souris qui se brise.

« C'était quoi ? » demanda-t-il.

Trymon pencha la tête.

« Do dièse, je pense », fit-il.

Galder se tut. La lueur blanche avait disparu, et les premières rumeurs de la cité qui se réveillait commencèrent à monter jusqu'aux deux sorciers. Tout avait l'air exactement comme avant. Pareil tintouin pour ne rien changer ?

Il tapota distraitement les poches de sa chemise de nuit et finit par trouver ce qu'il cherchait niché derrière son oreille. Il se colla le mégot détrempé dans la bouche, fit jaillir le feu magique d'entre ses doigts et tira comme un forcené sur sa cousue main jusqu'à ce que des petites lumières bleues lui éclatent devant les yeux. Il toussa une ou deux fois.

Il réfléchissait dur, très dur.

Il s'efforçait de se rappeler si des dieux ne lui devaient pas quelques faveurs.

Les dieux en vérité étaient aussi perplexes que les sorciers, mais ils n'y pouvaient rien, et n'importe comment ils étaient engagés depuis une éternité dans une bataille contre les Géants de la Glace qui refusaient de leur rendre la tondeuse à gazon.

On aurait cependant obtenu quelque indice sur ce qui s'était réellement passé dans le fait que Rincevent, dont la vie avait pris un tour intéressant à l'âge de quinze ans, se retrouva soudain non pas au seuil de la mort, en fin de compte, mais pendu la tête en bas dans un pin.

Il redescendit sans peine en dégringolant irrésistiblement de branche en branche pour atterrir sur le crâne dans un tas d'aiguilles de pin, où il resta étendu, hors d'haleine et au regret de ne pas avoir été à la hauteur, au sens figuré du moins.

Il devait exister quelque part, il le savait, une relation parfaitement logique. On est est sur le point de trépasser pour avoir dévissé du rebord du monde, et l'instant suivant on pend par les pieds à un arbre.

Comme toujours en pareil cas, le Sortilège refit surface dans son esprit.

Ses précepteurs avaient reconnu en Rincevent un sorcier aussi naturel que les poissons sont des montagnards-nés. Il se serait de toute manière probablement fait virer de l'Université — il n'arrivait pas à se rappeler les sortilèges et se sentait malade dès qu'il fumait — mais la vraie cause de tous ses ennuis, c'était cette stupide histoire, quand il s'était introduit en douce dans la pièce où l'In-Octavo reposait enchaîné et qu'il l'avait ouvert.

Et ce qui aggravait encore la situation déjà inquiétante, c'est que personne ne comprenait pourquoi les fermoirs s'étaient momentanément ouverts.

Le sortilège n'était pas un locataire exigeant. Il ne bougeait pas, comme un vieux crapaud au fond de sa mare. Mais chaque fois que Rincevent ressentait un grand coup de fatigue ou une grosse frayeur, il essayait de se faire prononcer. Nul ne savait ce qu'il adviendrait si l'un des Huit Grands Sortilèges se lançait tout seul. De l'avis unanime, le meilleur poste pour en observer les effets se trouvait sûrement dans l'univers d'à côté.

Une idée bizarre quand on gît sur son tas d'aiguilles de pin suite à une chute du rebord du monde, mais Rincevent avait l'impression que le Sortilège tenait à le garder en vie.

« Ça me va », songea-t-il.

Il s'assit et regarda les arbres. Rincevent était un sorcier de la ville et, quoique averti des nombreuses différences dans une même espèce d'arbres qui leur permettaient entre voisins et membres de la famille de se distinguer, la seule certitude qu'il avait, c'était que l'extrémité dépourvue de feuilles s'emboîtait dans le sol. Ils étaient beaucoup trop nombreux, rangés en dépit du bon sens. On n'avait pas balayé le coin depuis des lustres.

Il se souvint vaguement qu'on arrivait à s'orienter en observant de quel côté d'un arbre poussait la mousse. Ces arbres-là avaient de la mousse partout, ainsi que des excroissances et de vieilles branches rabougries ; si les arbres étaient des gens, ceux-là seraient bons pour le fauteuil roulant.

Rincevent flanqua un coup de pied au plus proche. D'un tir précis, l'arbre lui lâcha un gland sur la tête.

Le sorcier fit : « Ouille. »

D'une voix rappelant l'ouverture d'une porte décrépite, l'arbre répliqua : « Bien fait ! »

Un long silence s'ensuivit.

Puis Rincevent demanda : « C'est toi qui as dit ça ?

— Oui.

— Et ça aussi ?

« — Oui.

— Oh. » Il réfléchit un instant. Puis il tenta : « Je suppose que tu ne sais pas, à tout hasard, comment sortir de la forêt, à moins que si, avec un peu de chance ?

— Non. Je ne me déplace guère, fit l'arbre.

— Plutôt sciant, comme existence, j'imagine, fit Rincevent.

— Comment savoir ? Je n'ai jamais rien connu d'autre », fit l'arbre.

Rincevent l'examina de plus près. Il ressemblait beaucoup à tous les autres arbres qu'il avait vus.

« Tu es magique ? demanda-t-il.

— Personne ne me l'a jamais dit, répliqua l'arbre. Je crois que oui. »

Rincevent songeait : Je ne parle tout de même pas à un arbre. Pour parler à un arbre, faudrait que je sois fou, or je ne suis pas fou, alors les arbres ne parlent pas.

« Au revoir, dit-il avec fermeté.

— Hé, ne partez pas ! » commença l'arbre qui se rendit aussitôt compte de l'inutilité de sa requête. Il regarda le sorcier s'éloigner à travers les fourrés d'une démarche titubante et s'abandonna à la chaleur de l'astre du jour sur ses feuilles, aux glouglous et borborygmes de l'eau dans ses racines, au flux et au reflux de sa sève en réaction à l'attraction naturelle du soleil et de la lune. Sciant, songeait-il. Quelle drôle de réflexion. Les arbres peuvent se faire scier, évidemment, suffit d'une égoïne avec de bonnes dents, mais à mon avis ce n'était pas ce qu'il voulait dire. Et : peut-on vraiment connaître autre chose ?

En fait, Rincevent ne refit jamais causette à cet arbre précis, mais leur brève conversation jeta les bases de la première religion arboricole qui, par la suite, envahit les forêts du monde. Tel était son article de foi : tout arbre bon, qui mène une existence sans tache, décente et honnête, est assuré d'une vie après la mort. S'il est vraiment très bon, il finira par se réincarner dans cinq mille rouleaux de papier hygiénique.

Quelques kilomètres plus loin, Deuxfleurs se remettait lui aussi de sa surprise de se retrouver à nouveau sur le Disque. Il se tenait assis sur la coque de *l'Intrépide* qui s'enfonçait en gargouillant sous les eaux sombres d'un immense lac entouré d'arbres.

Bizarrement, il ne s'inquiétait pas trop. Deuxfleurs était un touriste, le premier de l'espèce à évoluer sur le Disque, et son existence même reposait sur la croyance dure comme fer que rien de mal ne pouvait vraiment lui arriver parce qu'il n'était *pas concerné* ; il croyait aussi que tout le monde arrivait à comprendre ce qu'il disait à condition qu'il parle fort et lentement, que les gens étaient fondamentalement dignes de confiance et qu'on pouvait toujours s'arranger entre hommes de bonne volonté dès lors qu'on en appelait à la raison.

Au vu de tout ça, il avait presque autant de chances de survivre que, disons, une sardine en savon, mais au grand étonnement de Rincevent ça semblait efficace, et la totale inconscience du petit homme devant toutes formes de dangers décourageait tellement les dangers en question qu'ils laissaient tomber pour aller voir ailleurs.

Menacé d'une simple noyade, Deuxfleurs n'avait rien à craindre. Il était à peu près sûr qu'une société bien policée ne permettait pas que les gens s'amusent à se noyer.

Il se faisait cependant un peu de souci quant au sort de son Bagage. Mais il se rassura en se rappelant qu'il était fait de bois de poirier savant et qu'il devait être assez intelligent pour prendre soin de lui tout seul...

Dans un autre secteur encore de la forêt, un jeune shaman passait par une épreuve essentielle de son apprentissage. Il avait mangé du champignon vénéneux sacré, fumé le rhizome divin, soigneusement pulvérisé et introduit dans divers orifices naturels le cryptogame magique, et maintenant, assis en tailleur sous un pin, il se concentrait pour établir le contact avec les secrets étranges et merveilleux au cœur de l'Être, mais surtout pour empêcher le sommet de son crâne de se dévisser et de s'envoler.

Des triangles bleus à quatre côtés traversaient son champ visuel en faisant des soleils. De temps à autre il souriait d'un air entendu à pas grand-chose et lâchait des « super » et des « argh ».

Il y eut un mouvement dans l'air puis ce qu'il décrivit par la suite ainsi : « comme qui dirait une espèce d'explosion, mais à l'envers, tu vois ? », et soudain surgit du néant un grand coffre de bois esquinté.

Il atterrit lourdement sur l'humus, étira des dizaines de petites jambes et se retourna pesamment pour dévisager le shaman. C'est-à-dire... il n'avait pas de figure, mais même à travers son brouillard mycologique le shaman avait l'horrible certitude que le coffre le regardait. Et pas d'un air aimable, d'ailleurs. C'était étonnant comme un trou de serrure et deux ou trois autres laissés par les nœuds du bois arrivaient à faire peur.

A son immense soulagement, le coffre, sur une espèce de haussement d'épaules raide, s'en fut entre les arbres au petit trot.

Au prix d'un effort surhumain, le shaman retrouva la série convenable des mouvements à enchaîner pour se remettre debout ; il réussit même à effectuer quelques pas avant de baisser les yeux et de renoncer, vu qu'il manquait de jambes.

Pendant ce temps, Rincevent avait découvert un sentier. Il dessinait pas mal de détours ; le sorcier l'aurait préféré pavé, mais ça l'occupait de le suivre.

Plusieurs arbres tentèrent d'engager la conversation mais Rincevent les ignora, quasi certain que ce n'étaient pas des façons normales pour des arbres.

La journée s'étira en longueur. Il n'y avait d'autre bruit que le murmure de petits insectes à la piqûre déplaisante, le craquement occasionnel d'une branche qui tombait, les chuchotements des arbres qui discutaient entre eux religion et soucis avec les écureuils. Rincevent commençait à se sentir très seul. Il s'imagina vivre dans les bois pour toujours, dormir sur des feuilles et manger... et manger... ce qu'il y avait à se mettre sous la dent en forêt. Des arbres, supposa-t-il, des noix et des baies. Il faudrait...

« Rincevent ! »

Là-bas, remontant le sentier, arrivait Deuxfleurs, trempé comme une soupe mais la mine rayonnante. Le Bagage lui trottinait sur les talons (tout ce qui était fait de ce bois suivait son propriétaire partout, et on l'employait souvent dans la fabrication de bagages pour les objets funéraires des rois défunts très riches qui voulaient être certains de démarrer une nouvelle existence dans l'autre monde pourvus de sous-vêtements propres).

Rincevent soupira. Jusqu'à cet instant, il n'avait pas cru que la journée pouvait être pire.

Il se mit à pleuvoir, une pluie particulièrement humide et froide. Rincevent et Deuxfleurs s'assirent sous un arbre pour la regarder tomber.

« Rincevent ?

— Hein ?

— Pourquoi on est ici ?

— Eh bien, certains disent que le Créateur de l'univers a créé le Disque et tout ce qui se trouve dessus, d'autres évoquent une histoire très compliquée mettant en jeu les testicules du Dieu du Ciel et le lait de la Vache Céleste, et il y en a même qui soutiennent que nous résultons d'une simple accumulation parfaitement aléatoire de particules de probabilité. Mais si tu veux savoir pourquoi nous sommes *ici* au lieu de tomber du Disque, je n'en ai pas la moindre idée. Tout ça n'est sans doute qu'une épouvantable erreur.

— Oh. Tu crois qu'il y a quelque chose à manger dans cette forêt ?

— Oui, répondit amèrement le sorcier, nous.

— J'ai des glands, si vous voulez », proposa l'arbre, obligeant.

Ils restèrent un moment assis dans un silence moite.

« Rincevent, reprit l'arbre...

— Les arbres ne parlent pas, le coupa Rincevent. Il est très important de se souvenir de ça.

— Mais vous venez bien de m'entendre... »

Rincevent soupira. « Écoute, dit-il. C'est une simple question de biologie, non ? Pour parler, il te faut le bon équipement : des poumons, des lèvres, des... des...

— Des cordes vocales, fit l'arbre.

— Voilà, c'est ça », dit Rincevent. Il se tut et fixa la pluie d'un œil morne.

« Moi, je croyais que les sorciers savaient tout sur les arbres, les fruits de la terre et le reste », fit Deuxfleurs d'un ton de reproche. C'était très rare de sentir dans sa voix qu'il tenait Rincevent pour autre chose qu'un merveilleux enchanteur, et sa réflexion piqua le sorcier au vif.

« C'est vrai, c'est vrai, lâcha-t-il.

— Alors, cet arbre-là, c'est quoi ? » demanda le touriste. Rincevent leva la tête.

« Hêtre, dit-il avec assurance.

— A la vérité... » commença l'arbre qui n'alla pas plus loin. Il avait saisi le regard de Rincevent.

« Ces trucs là-haut, ça ressemble à des glands, objecta Deuxfleurs.

— Oui, eh ben, c'est une variété sessilifoliée ou heptocarpique, répliqua Rincevent. Les fruits ressemblent beaucoup aux glands. Tout le monde s'y trompe, quasiment.

— Mince alors ! » fit Deuxfleurs. Puis : « Et ce buisson là-bas, c'est quoi, alors ?

— Du gui.

— Mais il a des épines et des baies rouges !

— Ben quoi ? » fit brutalement Rincevent qui le fixa d'un œil dur. Deuxfleurs céda le premier.

« Rien, dit-il humblement. On a dû mal me renseigner.

— C'est ça.

— Mais il y a de gros champignons par en dessous. Ils sont comestibles ? »

Rincevent les regarda avec prudence. Ils étaient vraiment très gros, surmontés d'un chapeau rouge et blanc à pois. Il s'agissait en fait d'une variété que le shaman local (qui à cet instant se liait d'amitié avec un rocher quelques kilomètres plus loin) ne consommait qu'après s'être préalablement attaché une grosse pierre à la jambe à l'aide d'une ficelle. Il ne restait qu'à sortir sous la pluie afin d'aller les examiner.

Rincevent s'agenouilla dans l'humus pour étudier le dessous du chapeau. Au bout d'un moment il annonça mollement : « Non, ils ne sont pas du tout bons à manger.

— Pourquoi ? cria Deuxfleurs. Parce que les lamelles ne sont pas du bon jaune ?

— Non, pas vraiment...

— J'imagine que les pieds n'ont pas les bonnes cannelures, alors ?

— Elles m'ont l'air correctes.

— Le chapeau, alors, j'imagine que le chapeau est de la mauvaise couleur, dit Deuxfleurs.

— Je n'en suis pas sûr.

— Eh bien alors, pourquoi tu ne peux pas les manger ? »

Rincevent toussa. « A cause des petites portes et des petites fenêtres, dit-il d'une voix pitoyable, ça ne trompe pas : il est mortel. »

Le tonnerre gronda sur l'Université Invisible. La pluie s'abattit sur les toits et rejaillit bruyamment par les gargouilles, dont une ou deux des plus futées avaient filé se mettre à couvert dans le dédale des tuiles.

Beaucoup plus bas, dans la Grande Salle, les huit sorciers les plus puissants du Disque-monde se plaçaient aux angles d'un octogramme de cérémonie. Ils n'étaient probablement pas les plus puissants, à vrai dire, mais disposaient certainement de grands pouvoirs de survie, ce qui, dans un monde de magie livré à une compétition acharnée, revenait presque au même. Derrière chaque sorcier de huitième niveau se pressaient une demi-douzaine de sorciers de septième niveau qui cherchaient à le liquider, et les sorciers de grade supérieur devaient prendre l'habitude de vérifier si, par exemple, des scorpions ne traînaient pas dans leur lit. Un vieux proverbe résumait : quand un sorcier se lasse de chercher des bouts de verre dans son déjeuner, qu'il disait, le proverbe, c'est qu'il se lasse de la vie.

Le plus vieux sorcier, Greyhald Spold des Anciens Sages Garantis d'Origine du Cercle Continu, s'appuya lourdement sur son bourdon sculpté et s'exprima en ces termes :

« Allez, Ciredutemps, mes pieds me font souffrir. »

Galder, qui n'avait marqué une pause que par souci de produire un effet, lui lança un regard furibond.

« Bon, dans ce cas, je serai bref...

— Bonne nouvelle.

— Nous avons tous cherché des informations sur les événements de ce matin. Y en a-t-il un parmi nous qui puisse dire qu'il en a obtenu ? »

Les sorciers se jetèrent des regards en coin. Nulle part en dehors d'un congrès fraternel de bienfaisance syndicaliste on ne trouve autant de méfiance mutuelle et de soupçons que dans une réunion de vieux enchanteurs. Mais le fait était que la journée n'avait pas été bonne du tout. Les démons indicateurs habituels, convoqués sans cérémonie des dimensions de la Basse-Fosse, avaient affiché un air penaud avant de s'éclipser lorsqu'on les avait questionnés. Les miroirs magiques s'étaient fêlés. Les tarots étaient mystérieusement devenus blancs. Les boules de cristal s'étaient toutes voilées. Même les feuilles de thé, que les sorciers dédaignaient d'ordinaire car jugées frivoles et déshonorantes, s'étaient agglomérées au fond des tasses et avaient refusé de bouger.

Bref, les sorciers présents étaient bien embarrassés. Il y eut un murmure unanime.

« Et je propose donc que nous accomplissions le Rite d'AshkEnte », reprit Galder d'une voix dramatique.

Il devait reconnaître qu'il avait espéré une meilleure réaction, quelque chose du style : « Non, pas le Rite d'AshkEnte ! L'homme n'est pas fait pour se mêler de ces affaires-là ! »

En réalité, il y eut un marmonnement général d'assentiment.

« Bonne idée.

— Ça paraît raisonnable.

— Au travail, alors. »

Un peu déconcerté, Galder fit défiler une procession de sorciers subalternes qui apportèrent divers ustensiles magiques dans la salle.

On a déjà donné à entendre que vers cette époque un désaccord divisait la fraternité des sorciers sur la façon de pratiquer la magie.

Les jeunes, en particulier, affirmaient que le moment était venu de moderniser l'image de la magie, qu'il fallait cesser de perdre son temps avec des bouts de cire et d'os et tout réorganiser à la base, prévoir des programmes de recherches et des conventions de trois jours dans de bons hôtels où on lirait des journaux aux titres du genre : *Où va la géomancie ?* et *le Rôle des Bottes de Sept Lieues dans une société humanitaire.*

Trymon, par exemple, ne s'occupait guère de magie ces temps-ci mais administrait l'Ordre avec une efficacité de sablier, rédigeait nombre de circulaires et arborait un grand graphique sur le mur de son bureau, couvert de taches, drapeaux et lignes de couleur que personne en dehors de lui ne comprenait. Très impressionnant.

Un autre type de sorcier pensait que tout ça n'était que du gaz de marais et ne voulait rien savoir d'aucune image qui ne serait faite de cire ni perforée d'aiguilles.

Les chefs des huit ordres appartenaient tous à cette catégorie des traditionalistes de la magie, et les ustensiles entassés autour de l'octogramme avaient un air absolument, indubitablement occulte. Cornes de béliers, crânes, ferronneries baroques et grosses bougies se détachaient du lot, malgré la découverte par de jeunes sorciers qu'on pouvait parfaitement accomplir le Rite d'AshkEnte à l'aide de trois petits bouts de bois et de quatre centimètres cubes de sang de souris.

Les préparatifs prenaient habituellement plusieurs heures, mais les pouvoirs conjugués des anciens sorciers les abrégèrent considérablement et, au bout de quarante malheureuses minutes, Galder psalmodiait les dernières paroles du sortilège. Elles restèrent un instant suspendues devant lui avant de se dissiper.

L'air au centre de l'octogramme miroita, s'épaissit, et soudain apparut une haute silhouette sombre. Une robe et un capuchon noirs la dissimulaient en grande partie, ce qui était probablement aussi bien. Elle serrait une longue faux à la main et l'on ne pouvait manquer de remarquer que pour tous doigts elle n'avait que des os blancs.

L'autre main squelettique tenait des petits cubes de fromage et d'ananas enfilés sur un bâtonnet.

« QUOI ? » fit la Mort. Sa voix avait la chaleur et la couleur d'un iceberg. Il[1] surprit l'œil étonné des sorciers et glissa un regard vers son bâtonnet.

« J'ÉTAIS À UNE SOIRÉE, ajouta-t-il avec une nuance de reproche.

— O Créature de la Terre et des Ténèbres, nous te sommons de t'abstenir de... » commença Galder d'une voix ferme et autoritaire. La Mort hocha la tête.

« OUI, OUI, JE CONNAIS TOUT ÇA, dit-il. POURQUOI M'AS-TU INVOQUÉ ?

— On raconte que vous voyez à la fois le passé et l'avenir », répondit Galder, un peu boudeur parce que le grand discours de contrainte et de conjuration était l'un de ses préférés et qu'il le faisait drôlement bien, à ce qu'on disait.

« C'EST TOUT À FAIT VRAI.

— Alors peut-être pouvez-vous nous informer sur ce qui s'est passé ce matin ? » Galder se ressaisit et ajouta d'une voix forte : « Je te l'ordonne par Azimrothe, par T'chikel, par...

— D'ACCORD, TU M'AS CONVAINCU, dit la Mort. QU'EST-CE QUE TU VEUX SAVOIR, PRÉCISÉMENT ? IL S'EST PASSÉ DES TAS DE CHOSES CE MATIN, DES GENS SONT NÉS, D'AUTRES SONT MORTS, LES ARBRES ONT UN PEU GRANDI, LES VAGUES ONT DESSINÉ DE RAVISSANTS MOTIFS SUR LA MER...

— Je veux dire au Sujet de l'In-Octavo, fit froidement Galder.

— ÇA ? OH, IL S'AGISSAIT SEULEMENT D'UN RÉAJUSTEMENT DU RÉEL. A CE QUE J'AI COMPRIS, L'IN-OCTAVO NE TENAIT PAS À PERDRE LE HUITIÈME SORTILÈGE. IL TOMBAIT DU DISQUE, APPAREMMENT.

---

1. Le lecteur étourdi qui aurait omis de se plonger dans *la Huitième Couleur*, premier livre des *Annales du Disque-monde*, s'aperçoit ici avec surprise que la Mort est de sexe masculin. Dont acte. *(N. d. T.)*

— Attendez ! Attendez ! » fit Galder. Il se gratta le menton. « On parle bien de celui qui se trouve dans la tête de Rincevent ? Un grand type mince, plutôt décharné ? Celui...

— Qu'il transporte avec lui depuis des années, oui. »

Galder se renfrogna. Ça ne présageait rien de bon. Personne n'ignorait que lorsqu'un sorcier mourait, tous les sortilèges s'échappaient de sa tête, alors pourquoi s'embêter à sauver Rincevent ? Le sortilège finirait bien par revenir.

« Pourquoi, à votre avis ? dit-il sans réfléchir, avant de réagir à temps et d'ajouter à la hâte : Par Yrriph et Kcharla, je t'abjure et...

— J'aimerais que tu arrêtes ça, dit la Mort. Je ne sais qu'une chose : tous les sortilèges doivent être prononcés ensemble à la prochaine Veille des Porchers, sinon le Disque sera détruit.

— Parlez plus fort ! exigea Greyhald Spold.

— La ferme ! fit Galder.

— Moi ?

— Non, lui. Vieux fêlé de...

— J'ai entendu ! le coupa Spold. Vous autres, les jeunes... » Il se tut. La Mort le regardait d'un air songeur, comme s'il essayait de se rappeler son visage.

« Écoutez, reprit Galder, répétez la fin de votre phrase, vous voulez bien ? Le Disque sera quoi ?

— Détruit, dit la Mort. Je peux m'en aller maintenant ? J'ai laissé mon verre

— Attendez, fit Galder précipitamment. Par Cheliliki, Orizone et ainsi de suite, qu'est-ce que vous entendez par : détruit ?

— Il s'agit d'une ancienne prophétie écrite sur les murs intérieurs de la grande pyramide de Tsort. Le mot "détruit" me semble s'expliquer de lui-même.

— C'est tout ce que vous pouvez nous dire ?

— Oui.

— Mais la Veille des Porchers, ce n'est que dans deux mois !

— OUI.

— Vous pouvez au moins nous dire où se trouve en ce moment Rincevent ! »

La Mort haussa les épaules. Un mouvement parfaitement adapté à sa morphologie.

« LA FORÊT DE SKUND, VERSANT REBORD DES MONTAGNES DU BÉLIER.

— Qu'est-ce qu'il fiche là-bas ?

— IL S'APITOIE SUR SON SORT.

— Oh.

— JE PEUX Y ALLER, MAINTENANT ? »

Galder approuva d'un chef distrait. Il songeait avec mélancolie au rituel de bannissement, qui commençait par : « Hors d'ici, ombre abjecte » et renfermait quelques passages particulièrement impressionnants qu'il avait répétés, mais il manquait décidément d'enthousiasme.

« Oh, oui, fit-il. Merci, oui. » Et alors, parce qu'il vaut mieux éviter de se faire des ennemis même parmi les créatures de la nuit, il ajouta poliment : « J'espère que vous passez une bonne soirée. »

La Mort ne répondit pas. Il regardait Spold à la façon d'un chien qui lorgne un os, sauf que dans le cas présent c'étaient plutôt les os qui lorgnaient le chien.

« J'ai dit : j'espère que c'est une bonne soirée, répéta Galder en élevant la voix.

— POUR LE MOMENT, OUI, dit la Mort d'un ton égal. A MON AVIS L'AMBIANCE VA VITE RETOMBER À MINUIT.

— Pourquoi ?

— PARCE QU'ILS S'IMAGINENT QU'À CETTE HEURE-LÀ JE VAIS RETIRER MON MASQUE. »

Il disparut, abandonnant derrière lui un bâtonnet à cocktail et un petit serpentin en papier.

La scène avait eu un spectateur invisible. C'était bien entendu absolument contre les règles, mais Trymon savait tout des règles, qu'il estimait depuis toujours bonnes à édicter, non pas à observer. Les huit mages n'avaient pas encore entamé leur discussion houleuse sur le sens de l'apparition qu'il était descendu dans les niveaux principaux de la bibliothèque universitaire.

Les lieux inspiraient une sainte terreur. Un grand nombre de livres étaient magiques, et la chose importante à retenir sur les grimoires, c'est qu'ils représentent un danger mortel entre les mains d'un bibliothécaire soucieux de l'ordre, parce qu'immanquablement il va tous les aligner sur la même étagère. Mauvaise idée quand il s'agit d'ouvrages sujets à des fuites de magie, car dès qu'ils se trouvent à plus de deux ou trois ensemble, ils forment une masse noire critique. Pour couronner le tout, beaucoup de petits sortilèges sont très exigeants sur leurs fréquentations et ont tendance à exprimer leurs objections en propulsant méchamment leurs livres à travers la pièce. Et, comme il se doit, on y sent toujours la présence des Choses des dimensions de la Basse-Fosse, qui s'agglutinent autour de la déperdition de magie et sondent en permanence les parois de la réalité.

Le bibliothécaire de magie, appelé à passer ses journées de travail dans cette espèce d'atmosphère saturée, exerce un métier à haut risque.

Le bibliothécaire en chef, assis sur son bureau, absorbé par l'épluchage d'une orange, en était bien conscient.

Il leva les yeux lorsque Trymon fit irruption.

« Je cherche tout ce que nous avons sur la pyramide de Tshut », fit Trymon. Il n'était pas venu les mains vides : il tira une banane de sa poche.

Le fonctionnaire la regarda mélancoliquement puis se laissa tomber lourdement sur le sol. Trymon sentit une main molle se fourrer doucement dans la sienne et suivit le dandinement morose du bibliothécaire qui l'entraîna entre les rayonnages. Il avait l'impression de tenir un petit gant de cuir.

Autour d'eux, les livres grésillaient et brasillaient ; de temps à autre une décharge de magie fulgurait sans but précis jusqu'aux tiges de mise à la terre judicieusement placées et clouées aux étagères. On percevait une odeur bleue d'étain et, à l'extrême limite de l'audible, l'horrible pépiement des créatures de la Basse-Fosse.

Comme beaucoup d'autres sections de l'Université Invisible, la bibliothèque occupait plus de place que ses dimensions extérieures ne le laissaient supposer, parce que la magie distord l'espace d'étranges manières et que c'était probablement la seule bibliothèque de l'univers pourvue d'étagères de Möbius. Mais le catalogue mental du bibliothécaire fonctionnait parfaitement, quoique au ralenti. Il s'arrêta près d'une pile élancée de livres moisis et se hissa dans l'obscurité. Il y eut un froissement de papier, et un nuage de poussière s'abattit sur Trymon. Puis le bibliothécaire revint, un mince volume dans les mains.

« Oook », fit-il.

Trymon s'en saisit délicatement.

La couverture était éraflée et cornée de partout, l'or du titre s'était depuis longtemps recroquevillé avant de disparaître, mais il parvint à déchiffrer, dans l'ancienne langue magique de la vallée Tsort, les mots : *Ly Gryand Teymple dy Tsort, yne hyistoyre myistiquye*.

« Oook ? » questionna le bibliothécaire, anxieux.

Trymon tourna les pages avec précaution. Il n'était pas très doué dans les langues, il avait toujours vu en elles un moyen de communication inefficace qu'on aurait dû en toute justice remplacer par une sorte de système numérique facile à comprendre, mais le livre semblait exactement ce qu'il cherchait. Des pages entières étaient couvertes d'hiéroglyphes éloquents.

« C'est le seul livre que vous avez sur la pyramide de Tsort ? demanda-t-il lentement.

— Oook.

— Vous êtes sûr ?

— Oook. »

Trymon écouta. Il entendait au loin des bruits de pas et de discussions qui approchaient. Mais pour ça non plus, il n'était pas venu les mains vides.

Il fouilla dans sa poche.

« Une autre banane ? » proposa-t-il.

La forêt de Skund était véritablement enchantée, ce qui n'avait rien d'inhabituel sur le Disque, et la seule de tout l'univers qu'on appelait — dans l'idiome local : « Ton-Doigt, Crétin », traduction littérale du mot « Skund ».

La raison en est d'une navrante banalité. Lorsque les premiers explorateurs des pays chauds riverains de la mer Circulaire s'aventurèrent dans le froid de l'arrière-pays pour compléter les espaces blancs de leurs cartes, ils sautaient sur le premier indigène venu, désignaient au loin un point de repère, demandaient ce que c'était d'une voix forte et claire et notaient ce que leur répondait l'homme stupéfait. Ainsi restèrent immortalisés dans des générations d'atlas des bizarreries géographiques telles que « Rien-qu'une-Montagne », « Je-Sais-Pas », « Quoi ? » et bien entendu « Ton-Doigt, Crétin ».

Des nuages de pluie se rassemblaient autour des hauteurs dénudées du mont Oolskunrahod (Quel-est-ce-Crétin-Incapable-de-Reconnaître-une-Montagne), et le Bagage s'installa plus commodément sous un arbre dégouttant d'eau qui tenta en vain d'engager la conversation.

Deuxfleurs et Rincevent se disputaient. Le motif de leur dispute se tenait assis sur son champignon et les observait avec intérêt. Il avait l'air de quelqu'un qui sentait comme quelqu'un qui vivait dans un champignon, et ça tracassait Deuxfleurs.

« Dis, pourquoi il n'a pas de chapeau rouge ? »

Rincevent hésita, cherchant désespérément à deviner où Deuxfleurs voulait en venir.

« Quoi ? renonça-t-il.

— Il devrait porter un chapeau rouge, dit Deuxfleurs. Il devrait sûrement aussi être plus propre et bien plus joyeux drille que ça. Pour moi, il ne ressemble à aucune espèce de gnome.

— Qu'est-ce que tu me chantes ?

— Regarde-moi cette barbe, dit Deuxfleurs, bourru. J'en ai vu de plus belles sur des morceaux de fromage.

— Écoute, il fait quinze centimètres de haut et vit dans un champignon, grogna Rincevent. Évidemment que c'est un foutu gnome.

— On n'a que sa parole. »

Rincevent baissa les yeux sur le gnome.

« Excusez-moi », dit-il. Il entraîna Deuxfleurs de l'autre côté de la clairière.

« Écoute, fit-il entre ses dents. S'il faisait quatre mètres cinquante de haut et se disait géant, on n'aurait aussi que sa parole, non ?

— C'est peut-être un gobelin », répondit Deuxfleurs d'un air de défi.

Rincevent se retourna vers la petite silhouette qui se curait le nez avec application.

« Ben quoi ? fit-il. Et après ? Gnome, gobelin, lutin... et après ?

— Pas un lutin, dit Deuxfleurs avec assurance. Les lutins, ils portent des espèces de combinaisons vertes, ils ont des chapeaux pointus et des petits machins comme des antennes pleines de bosses qui leur sortent de la tête. J'ai vu des images.

— Où ça ? »

Deuxfleurs hésita et regarda ses pieds. « Je crois que ça s'appelait le mmmlle, mmmlle, mmmlle.

— Le quoi ? Ça s'appelait le quoi ? »

Le petit homme se prit d'un soudain intérêt pour le dos de ses mains.

« *Le Livre des Fées des Fleurs pour les Tout Petits* », grommela-t-il.

Rincevent avait l'air ahuri.

« C'est un livre pour apprendre à les éviter ? demanda-t-il.

— Oh, non, répondit précipitamment Deuxfleurs. Il apprend où les chercher. Je me souviens des illustrations, maintenant. » Une expression rêveuse passa sur son visage, et Rincevent grogna intérieurement. « Il y avait même une fée spéciale qui venait enlever les dents.

— Quoi ? Elle venait arracher les vraies dents... ?

— Non, non, tu te trompes, je veux dire : une fois qu'elles étaient tombées, on les mettait sous l'oreiller, la fée venait, les prenait et laissait un rhinu par dent.

— Pourquoi ?

— Pourquoi quoi ?

— Pourquoi elle collectionnait les dents ?

— C'était comme ça. »

Rincevent s'imagina une étrange entité habitant un château fait de dents. Le genre d'image mentale qu'on s'empresse d'oublier. Vainement.

« Aargh », fit-il.

Des chapeaux rouges ! Il se demanda s'il devait ouvrir les yeux du touriste sur ce qu'était vraiment la vie quand une grenouille représente un bon repas, un trou de lapin un refuge commode pour s'abriter de la pluie et une chouette une horreur silencieuse planant dans la nuit. Des pantalons en peau de taupe prêtent à sourire, à moins de les avoir personnellement retirés à leur propriétaire légitime, quand cette petite saleté malfaisante se trouve acculée dans son terrier. Quant aux chapeaux rouges, quiconque se promène en forêt accoutré de couleurs vives et voyantes a tôt fait de le regretter.

Il voulut dire : « Écoute, la vie des gnomes et des gobelins est désagréable, bestiale et brève. C'est comme ça. »

Voilà ce qu'il voulut dire, mais il en fut incapable. Pour quelqu'un que ça démangeait de tout voir de l'infini, Deuxfleurs ne sortait jamais vraiment de son monde intérieur. Lui apprendre la vérité équivaudrait à flanquer un coup de pied à un épagneul.

« Soui houi ouidel quouit », fit une voix à ses pieds. Il baissa les yeux. Le gnome, qui s'était présenté sous le nom de Swires, leva les siens. Rincevent jouissait d'une excellente oreille pour les langues. Le gnome venait de dire : « J'ai un reste d'hier de sorbet à la salamandre.

— Ça m'a l'air appétissant », fit Rincevent.

Swires lui tapota pour la deuxième fois la cheville.

« L'autre grand, là, il va bien ? demanda-t-il, plein de sollicitude.

— La réalité lui cause un choc, c'est tout, dit Rincevent. Vous n'auriez pas de chapeau rouge, par hasard ?

— Quouit ?

— Une idée.

— Je sais où trouver à manger pour les grands, dit le gnome, et aussi où s'abriter. Ce n'est pas loin. »

Rincevent regarda le ciel, de plus en plus bas. Le jour s'enfuyait du paysage ; on aurait dit que les nuages avaient entendu parler de neige et que ça leur donnait des idées. Évidemment, on ne doit pas faire nécessairement confiance à des gens qui vivent dans des champignons, mais pour l'heure le sorcier aurait tambouriné à la porte de n'importe quel piège appâté avec un repas chaud et des draps propres.

Ils se mirent en route. Au bout de quelques secondes, le Bagage se releva avec précaution sur ses jambes et leur emboîta le train.

« Psst ! »

Il se retourna prudemment en déplaçant ses petits membres dans un ordre compliqué et donna l'impression de regarder en l'air.

« C'est bien d'être menuisé ? s'inquiéta l'arbre. Ça fait mal ? »

Le Bagage parut réfléchir. Chaque poignée de cuivre, chaque trou du bois rayonnaient d'une intense concentration.

Puis il haussa le couvercle et repartit en se dandinant.

L'arbre soupira et se secoua les ramilles pour évacuer quelques feuilles mortes.

La maisonnette était petite, délabrée et aussi tarabiscotée qu'un napperon. Rincevent se dit qu'un ébéniste fou avait dû y travailler et causer d'incroyables dégâts avant qu'on l'en retire de force. La moindre porte, le moindre volet avait ses grappes de raisins et de demi-lunes découpées dans le bois, et les murs étaient couverts de pommes de pin chantournées. Il s'attendait presque à voir surgir un coucou géant d'une fenêtre du premier.

Ce qu'il nota aussi, ce fut l'impression gluante caractéristique que laissait l'atmosphère. De toutes petites étincelles vertes et mauves jaillirent de ses ongles.

« Un puissant champ de magie, murmura-t-il. Cent millithaums au moins [1].

— Il y a de la magie dans tout le coin, dit Swires. Une vieille sorcière vivait par ici. Ça fait longtemps qu'elle est partie mais la magie continue de faire marcher la maison.

— Tiens, cette porte a quelque chose de bizarre, fit Deuxfleurs.

---

1. Le thaum est l'unité de base de la force magique, universellement défini comme la quantité de magie nécessaire pour créer un petit pigeon blanc ou trois boules de billard standard.

« — Pourquoi une maison aurait-elle besoin de magie pour continuer d'exister ? » voulut savoir Rincevent. Deuxfleurs toucha un mur avec précaution.

« C'est tout collant !

— Du nougat, fit Swires.

— Crénom ! Une vraie maisonnette en pain d'épice ! Rincevent, une vraie maisonnette... »

Rincevent hocha une tête maussade. « Ouais, l'École confiseuse d'Architecture, dit-il. Ça n'a jamais marché. »

Il regarda d'un œil soupçonneux le heurtoir en réglisse.

« Elle se régénère, comme qui dirait, fit Swires. Merveilleux, vraiment. On ne trouve plus de maisons comme ça, de nos jours, on ne trouve déjà pas de pain d'épice.

— Vraiment ? fit Rincevent, l'air sombre.

— Entrez donc, dit le gnome, mais faites attention au paillasson.

— Pourquoi ?

— Barbe à papa. »

Le grand Disque tournait lentement sous un soleil à la peine. La lumière du jour se réduisit à des flaques dans les creux puis s'évanouit à mesure que tombait la nuit.

Dans sa chambre frisquette de l'Université Invisible, Trymon gardait le nez plongé dans le livre ; ses lèvres bougeaient en même temps qu'il suivait du doigt l'ancienne et insolite écriture. Il lut que la grande pyramide de Tsort, depuis longtemps disparue, était bâtie d'un million trois mille dix blocs de calcaire. Il lut que dix mille esclaves avaient travaillé jusqu'à la mort à l'édifier. Il apprit qu'elle recelait un dédale de passages secrets dont des extraits de la sagesse de l'ancien Tsort décoraient les parois, à ce qu'on disait. Il lut que sa hauteur additionnée de sa longueur divisée par la moitié de sa largeur égalait exactement 1,67563, ou précisément 1237,98712567 fois la différence entre la distance au soleil et le poids d'une petite orange. Il apprit qu'on avait consacré soixante années entières à sa construction.

C'était, songea-t-il, se donner beaucoup de mal rien que pour affûter une lame de rasoir.

Dans la forêt de Skund, Deuxfleurs et Rincevent attaquaient leur repas par un manteau de cheminée en pain d'épice et rêvaient d'oignons au vinaigre.

Et très loin, mais comme placé sur une trajectoire menant à la collision inévitable, le plus grand héros que le Disque ait jamais produit se roulait une cigarette, parfaitement inconscient du rôle qui lui était réservé.

C'était un travail de confection intéressant qu'exécutaient ses doigts experts parce que, comme nombre de sorciers errants auprès desquels il avait appris le procédé, il avait l'habitude de garder les mégots dans une bourse de cuir pour se roulotter de nouvelles sèches. Selon la loi implacable des moyennes, il avait déjà fumé et refumé une partie de ce tabac depuis des années. Le machin qu'il essayait vainement d'allumer valait... bah, disons qu'il aurait fait un bon revêtement de route.

Si grande était la réputation de cet homme qu'un groupe de cavaliers barbares nomades l'avait respectueusement invité à s'asseoir en leur compagnie autour d'un feu de crottin de cheval. Les nomades des régions du Centre migraient d'ordinaire vers le Bord pour l'hiver ; ceux-ci appartenaient à une tribu qui avait dressé ses tentes de feutre dans une vague de chaleur étouffante de moins 20 degrés et arboraient des nez pelés en se plaignant de la canicule.

Le chef barbare prit la parole : « Qu'y a-t-il de plus grand qu'un homme puisse trouver dans la vie ? » Le genre de question à laquelle on est censé répondre pour garder son crédit steppique dans les cercles barbares.

L'homme à sa droite but pensivement son cocktail — lait de jument et sang de chat des neiges — et parla ainsi : « L'horizon tremblé de la steppe, le vent dans les cheveux, un cheval frais entre les jambes. »

L'homme à sa gauche dit : « Le cri de l'aigle blanc dans les cieux, la neige qui tombe dans la forêt, la flèche qui vole droit au but. »

Le chef opina et renchérit : « C'est assurément la vue de l'ennemi mort, l'humiliation de sa tribu et les lamentations de ses femmes. »

Cette succession d'atrocités suscita un murmure général d'approbations velues.

Le chef se tourna ensuite respectueusement vers la petite silhouette de son invité, qui réchauffait prudemment ses engelures devant le feu, et dit : « Mais notre invité au nom légendaire doit nous répondre franchement : qu'y a-t-il de plus grand pour un homme dans la vie ? »

L'invité s'interrompit au milieu d'une nouvelle et vaine tentative pour allumer sa cigarette.

« Qu'èche vous dites ? fit-il d'une bouche édentée.

— J'ai dit : quelles sont les plus grandes choses pour un homme dans la vie ? »

Les guerriers se penchèrent plus près. Ça devait valoir le coup d'entendre la réponse.

L'invité réfléchit dur, longtemps, et répondit posément : « De l'eau chaude, une bonne dentichterie et du papier hygiénique double épaicheur. »

Une vive lueur octarine flamboya dans la forge. Galder Ciredutemps, torse nu, le visage dissimulé sous un masque de verre fumé, loucha dans la fournaise et abattit son marteau avec une précision chirurgicale. La magie piailla et se tordit entre les pinces, mais il continua de la travailler, de l'étirer en une ligne de feu supplicié.

Une lame de plancher craqua. Galder avait passé beaucoup d'heures à les accorder, une sage précaution quand on avait affaire à un assistant qui se déplaçait comme un chat.

Ré bémol. Ça voulait dire qu'il se trouvait à droite de la porte.

« Ah, Trymon, dit-il sans se retourner, notant avec satisfaction la légère inspiration dans son dos. C'est bien que vous soyez venu. Fermez la porte, voulez-vous ? »

Trymon repoussa le lourd battant, le visage inexpressif. Sur la haute étagère au-dessus de lui, diverses impossibilités en conserve se lovèrent dans leurs bocaux de vinaigre et l'observèrent avec intérêt.

Comme dans toute bonne officine de sorcier, on aurait dit qu'un taxidermiste avait jeté son stock dans la fonderie puis s'était battu avec un souffleur de verre pris de folie, en défonçant le crâne d'un crocodile en cours de route (lequel pendait au plafond et dégageait une forte odeur de camphre). Il y avait des lampes et des anneaux que Trymon mourait d'envie de frotter, des miroirs qui méritaient qu'on y regarde à deux fois. Une paire de bottes de sept lieues s'agitait nerveusement dans une cage. Une pleine bibliothèque de grimoires, bien sûr moins puissants que l'In-Octavo mais cependant lourds de sortilèges, firent crisser et cliqueter leurs chaînes lorsqu'ils sentirent le regard de convoitise que le sorcier posa sur eux. Cette énergie brute le troublait plus que toute autre chose, mais il déplorait le laisser-aller et le goût de Galder pour le théâtre.

Par exemple, il se trouvait savoir — parce qu'il avait soudoyé un serviteur — que le liquide vert qui bouillonnait mystérieusement dans un labyrinthe de tuyauteries tourmentées sur l'un des établis n'était que de la teinture additionnée de savon.

Un jour, se dit-il, tout ça disparaîtra. A commencer par cette saleté d'alligator. Les articulations de ses doigts blanchirent...

« Bien, fit un Galder enjoué qui accrocha son tablier avant de s'asseoir dans son fauteuil aux bras en pattes de lion et aux pieds de canard, vous m'avez fait parvenir ce mémomachin. »

Trymon haussa les épaules. « Mémorandum. Je signalais seulement, seigneur, que les autres ordres ont tous envoyé des agents dans la forêt de Skund pour récupérer le sortilège, pendant que vous, vous ne faites rien. Mais vous en donnerez sûrement vos raisons en temps opportun.

— Votre confiance m'emplit de honte, dit Galder.

— Le sorcier qui reprendra le sortilège se couvrira de gloire ainsi que son ordre, dit Trymon. Les autres ont utilisé des bottes et toutes sortes de sortilèges étrangers. Qu'est-ce que vous, vous comptez utiliser, maître ?

— Ai-je senti une pointe de sarcasme dans vos paroles ?

— Absolument pas, maître.

— Pas même un soupçon ?

— Pas même l'ombre d'un soupçon, maître.

— Bien. Parce que je n'ai pas l'intention d'aller le chercher. » Galder baissa la main et ramassa un livre ancien. Il marmonna un ordre et le livre s'ouvrit en grinçant ; un signet qui ressemblait étrangement à une langue réintégra prestement la reliure.

Il farfouilla près de son coussin et ramena une petite blague de tabac en cuir et une pipe de la taille d'un incinérateur. Avec toute l'adresse d'un nicotinomane en phase terminale il roula une noix de tabac entre ses mains et la tassa dans le fourneau. Il claqua des doigts et le feu jaillit. Il aspira profondément, soupira d'aise...

... leva les yeux.

« Pas parti, Trymon ?

— Vous m'avez mandé, maître », dit Trymon d'un ton uni. Ce que dit son gosier, du moins. Au fond de ses yeux gris une faible lueur indiquait qu'il tenait la liste du moindre affront, du moindre pétillement condescendant du regard, du moindre reproche léger, du moindre coup d'œil entendu, et pour chacun d'eux le cerveau vivant de Galder passerait une année dans l'acide.

« Oh, oui, c'est juste. Pardonnez aux déficiences d'un vieillard », dit Galder sur le ton de la plaisanterie. Il leva le livre qu'il lisait.

« Je désapprouve toute cette agitation, reprit-il. C'est très spectaculaire de faire l'andouille avec des tapis volants et autres, mais pour moi ce n'est pas de la vraie magie. Tenez, prenez les bottes de sept lieues. Si les hommes avaient dû couvrir vingt-huit kilomètres à chaque pas, je suis certain que Dieu les aurait pourvus de plus longues jambes... Où en étais-je ?

— Je n'en suis pas sûr, fit Trymon avec froideur.

— Ah, oui. Bizarre que nous n'ayons rien trouvé sur la pyramide de Tsort dans la bibliothèque, vous auriez cru le contraire, non ?

— Le bibliothécaire sera châtié, bien entendu. »

Galder lui lança un regard en biais. « Rien de sévère, dit-il. Le priver de bananes, peut-être. »

Ils s'observèrent un moment.

Galder céda le premier — fixer Trymon le troublait toujours. Ça lui faisait le même effet gênant que de se contempler dans un miroir et de n'y voir personne.

« Quoi qu'il en soit, et c'est plutôt bizarre, dit-il, j'ai trouvé de l'aide ailleurs. Sur mes propres et modestes rayonnages, en fait. Le journal de Skrelt Changepanier, le fondateur de notre ordre. Vous, mon bouillant jeune homme prêt à s'élancer sur l'heure, savez-vous ce qui se passe lorsqu'un sorcier meurt ?

— Les sortilèges qu'il garde en mémoire se prononcent tout seuls, répondit Trymon. C'est l'une des premières choses que nous apprenons.

— En réalité, ce n'est pas vrai des Huit Grands Sortilèges originaux. A force d'étude minutieuse, Skrelt a découvert qu'un Grand Sortilège s'abritera tout simplement dans l'esprit le plus proche ouvert et prêt à le recevoir. Poussez donc le grand miroir par ici, voulez-vous ? »

Galder se leva de son siège et se dirigea d'un pas traînant vers la forge, à présent froide. Le fil de magie se tortillait toujours, cependant, à la fois présent et absent, comme une fissure ouverte dans un autre univers inondé de lumière bleue ardente. Il s'en saisit tranquillement, décrocha un arc d'un râtelier, prononça un mot cabalistique et regarda avec satisfaction la magie en saisir les extrémités et le bander jusqu'à faire gémir le bois. Il choisit ensuite une flèche.

Trymon avait tiré un lourd miroir grandeur d'homme au milieu de la pièce. Quand je serai à la tête de l'ordre, se disait-il, je ne traînerai sûrement pas mes pieds dans des pantoufles.

Trymon, comme il a été dit plus haut, avait le sentiment qu'un sang neuf ferait le plus grand bien si seulement on pouvait se débarrasser du bois mort... Mais pour l'instant il était sincèrement impatient de voir où voulait en venir le vieux fou.

Ça lui aurait peut-être fait plaisir de savoir que Galder et Skrelt Changepanier se mettaient tous les deux le doigt dans l'œil jusqu'au coude.

Galder effectua quelques passes devant la glace qui se ternit avant de s'éclaircir pour offrir une vue aérienne de la forêt de Skund. Il la regarda fixement, tout en tenant à la main l'arc et la flèche vaguement pointée sur le plafond. Il marmonna quelques mots comme : « Tiens compte d'un vent de, mettons... trois nœuds » et « Règle-toi par rapport à la température », puis, d'un geste plutôt décevant, il lâcha le trait.

Si les lois d'action et de réaction avaient eu leur mot à dire, la flèche aurait dû retomber mollement à quelques pas de distance. Mais personne ne s'intéressait à elles.

Dans un bruit qui défie toute description mais que, par souci de la perfection, on pourrait assimiler fondamentalement à *spang* ! plus trois jours de travail intensif dans un studio d'enregistrement décemment équipé, la flèche disparut.

Galder rejeta l'arc et sourit.

« Évidemment, il va lui falloir à peu près une heure pour arriver là-bas, dit-il. Ensuite le sortilège n'aura plus qu'à suivre le chemin ionisé pour revenir ici. Jusqu'à moi.

— Remarquable », fit Trymon, mais le premier télépathe qui serait passé par là aurait lu en lettres de dix mètres de haut : pourquoi toi et pas moi ? Il baissa les yeux sur l'établi en désordre, lorsqu'un long couteau très affilé lui parut idéal pour ce qu'il avait soudain en tête.

La violence, il n'aimait pas s'y livrer, sauf à distance. Mais la pyramide de Tsort avait été parfaitement claire quant aux récompenses offertes à quiconque réunirait les huit sortilèges au moment opportun, et Trymon n'allait pas gâcher des années de travail assidu parce qu'un vieux fou avait une idée lumineuse.

« Voulez-vous un peu de cacao pendant que nous attendons ? proposa Galder qui clopina à travers la pièce pour sonner le serviteur.

— Volontiers », répondit Trymon. Il saisit le couteau, le soupesa et l'équilibra pour un lancer précis. « Je dois vous féliciter, maître. A ce que je vois, il nous faudra tous nous lever de bonne heure pour vous damer le pion. »

Galder éclata de rire. Et le couteau fusa de la main de Trymon à une telle vitesse qu'il se déforma (de par la nature plutôt amorphe de la lumière du Disque), qu'il perdit un peu en longueur et gagna légèrement en épaisseur au fil de sa course infaillible vers le cou de Galder.

Il ne l'atteignit pas. Il dévia d'un côté pour entamer une orbite rapide, si rapide que Galder parut soudain porter un collier de métal. Galder se retourna ; Trymon le trouva brusquement plus grand de plusieurs dizaines de centimètres et beaucoup plus puissant.

Le couteau termina sa trajectoire en vibrant dans la porte à un cheveu de l'oreille de Trymon.

« Vous lever de bonne heure ? fit Galder, amène. Mon cher petit, il ne faudra pas vous coucher du tout. »

« Encore un peu de table ? offrit Rincevent.

— Non, merci. Je n'aime pas la pâte d'amandes, dit Deuxfleurs. De toute façon, je suis sûr que ce n'est pas bien de manger le mobilier des gens.

— Ne vous inquiétez pas, dit Swires. Ça fait des années qu'on n'a pas vu la vieille sorcière. On raconte que deux voyous, des gamins, lui ont proprement mis la tête au carré.

— Les jeunes d'aujourd'hui... commenta Rincevent.

— Pour moi, ce sont les parents les responsables », dit Deuxfleurs.

Une fois effectuées les adaptations mentales nécessaires, la maisonnette en pain d'épice ne manquait pas d'agrément. Un reste de magie la maintenait debout, et les animaux sauvages du secteur qui avaient survécu aux caries dentaires du dernier degré la fuyaient comme la peste. Un feu vif de bûches de réglisse brûlait plutôt salement dans l'âtre ; Rincevent voulait ramasser du bois dehors mais il avait renoncé. C'est dur de brûler du bois qui vous parle.

Il rota.

« Ce n'est pas très sain, fit-il. Je veux dire, pourquoi des sucreries ? Pourquoi pas des biscottes et du fromage ? Ou du salami, tiens... je me contenterais bien d'un bon sofa de salami.

— Mystère et boule de gomme, dit Swires. La vieille Mamie Panaris ne faisait que des sucreries. Vous auriez dû voir ses meringues...

— Je les ai vues, dit Rincevent. J'ai jeté un coup d'œil aux matelas...

— Le pain d'épice est plus traditionnel, fit Deuxfleurs.

— Quoi ? Pour les matelas ?

— Ne sois pas bête, le raisonna Deuxfleurs. Tu imagines des matelas en pain d'épice ? »

Rincevent grogna. Il rêvait de nourriture — plus exactement de bombances à Ankh-Morpork. Marrant comme cette bonne vieille ville lui paraissait plus attirante à mesure qu'il s'en éloignait. Il lui suffisait de fermer les yeux pour visualiser, avec un luxe de détails à faire baver, les éventaires de victuailles d'une centaine de cultures différentes sur les places de marché. On pouvait manger du squishi ou de la soupe d'aileron de requin si fraîche que les nageurs évitaient de s'en approcher et...

« Tu crois que je pourrais l'acheter, cette maison ? » demanda Deuxfleurs. Rincevent hésita. Il avait découvert que ça payait toujours de réfléchir longuement avant de répondre aux questions les plus saugrenues du touriste.

« Pourquoi donc ? fit-il, circonspect.

— Eh bien, je sens ici une forte ambiance qui se dégage...

— Oh.

— C'est quoi, une ambiance ? demanda Swires, qui renifla prudemment, avec la mine innocente de celui qui veut faire comprendre que ce n'est pas lui le responsable, quoi qu'il ait pu se passer.

— Une espèce de carriole pour transporter les malades, je crois, dit Rincevent. N'importe comment, tu ne peux pas acheter cette maison parce qu'il n'y a personne à qui l'acheter...

— Je pense que je pourrais sans doute arranger ça, au nom du conseil de la forêt, évidemment, le coupa Swires en s'efforçant d'éviter son regard courroucé.

« ... et de toute manière, tu ne pourrais pas l'emmener ; je veux dire : tu aurais du mal à la caser dans le Bagage, pas vrai ? » Rincevent désigna le coffre couché près du feu qui s'arrangeait — allez savoir comment ? — pour ressembler à un tigre satisfait mais sur le qui-vive ; puis il regarda à nouveau Deuxfleurs. Sa figure s'était allongée.

« Pas vrai ? » répéta-t-il.

Il n'avait jamais vraiment accepté le fait que l'intérieur du Bagage n'occupait pas tout à fait le même monde que l'extérieur. Simple effet secondaire de son originalité fondamentale, il était pourtant déconcertant de voir Deuxfleurs le remplir de chemises sales et de vieilles chaussettes puis rouvrir le couvercle sur une pile de linge tout frais, fleurant légèrement la lavande. Deuxfleurs achetait aussi des tas d'articles indigènes incroyables — de la camelote, de l'avis de Rincevent —, et même un bâton chatouille-cochons de cérémonie de deux mètres paraissait y loger à l'aise sans dépasser nulle part.

« Je ne sais pas, fit Deuxfleurs. Tu es sorcier, tu connais ces choses-là, toi.

— Oui, euh... bien entendu, mais la magie bagagière est une discipline hautement spécialisée. De toute façon, je suis sûr que les gnomes ne tiendraient pas vraiment à la vendre, c'est... c'est... — Il chercha au hasard dans ce qu'il connaissait du vocabulaire abracadabrant de Deuxfleurs — ... c'est une attraction touristique.

— C'est quoi ? demanda Swires, intéressé.

— Ça veut dire que des tas de gens comme lui vont venir la visiter, dit Rincevent.

— Pourquoi ?

— Parce que... — Rincevent chercha à nouveau ses mots — ... c'est une curiosité. Hum, c'est vieillot. Folkloresque. Euh... un charmant exemple d'un art populaire aujourd'hui disparu, imprégné de traditions d'un âge révolu.

— Non ? fit Swires qui posa sur la maisonnette un regard ahuri.

— Si.

— Tout ça ?

— 'las oui.

— Je vous aide à faire vos bagages. »

Et la nuit s'avance, sous une couverture de nuages bas qui s'étendent sur la majeure partie du Disque — une chance, car lorsque le temps s'éclaircira et que les astrologues auront une vue dégagée du ciel, ils vont piquer une colère et se mettre dans des états...

Ici et là dans la forêt, des bandes de sorciers s'égarent, tournent en rond, se cachent les uns des autres, embarrassés à chaque fois qu'ils butent dans un arbre qui leur présente des excuses. Mais, vaille que vaille, nombre d'entre eux se rapprochent de la maisonnette...

Le moment est bien choisi pour regagner les bâtiments aux mille recoins de l'Université Invisible, en particulier les appartements de Greyhald Spold, présentement le plus vieux sorcier du Disque et qui tient à le rester.

Il vient d'éprouver une grande surprise et une vive émotion.

Ces dernières heures l'ont vu très occupé. Il est peut-être sourd et un peu lent d'esprit, mais les sorciers d'âge avancé jouissent d'instincts de survie extrêmement développés et savent que lorsqu'une grande silhouette en robe noire armée d'un outil aratoire dernier cri commence à vous couver d'un œil songeur, il faut agir vite. Les serviteurs ont été renvoyés. Les portes scellées à la pâte d'éphémères pulvérisées et des octogrammes de protection dessinés aux fenêtres. Des huiles rares et odorantes répandues sur le sol selon des tracés tarabiscotés, en motifs qui blessent les yeux et donnent à penser que leur auteur était ivre ou bien d'une autre dimension, voire les deux. L'octuple octogramme de Gardesprit occupe le centre exact de la pièce, entouré de bougies rouges et vertes. En son milieu repose une boîte en bois de pin frisofilicine, qui vit très vieux, tapissée de soie rouge et encore d'amulettes protectrices. Car Greyhald Spold sait que la Mort le cherche et il a passé de nombreuses années à concevoir cette cache inexpugnable.

Il a remonté le mécanisme d'horlogerie compliqué de la serrure et refermé le couvercle sur son corps étendu, certain d'avoir enfin trouvé, dans sa boîte, la protection parfaite contre l'ennemi ultime entre tous, bien qu'il n'ait pas réfléchi jusque-là au rôle important des trous d'aération dans ce genre d'entreprise.

Et tout près de lui, contre son oreille, une voix vient de constater : « Fait noir là-dedans, hein ? »

Il se mit à neiger. Les fenêtres en sucre d'orge chatoyèrent joyeusement dans les ténèbres.

D'un côté de la clairière, trois petits points rouges brasillèrent brièvement, puis une toux de poitrine se fit entendre, brusquement réduite au silence.

« La ferme ! siffla un sorcier de troisième rang. Ils vont nous entendre !

— Qui ça ? On a faussé compagnie dans le marais aux gars de la Confrérie de la Poudre-aux-yeux, et ces idiots du Conseil Vénérable des Voyants sont de toute façon partis dans la mauvaise direction.

— Ouais, fit le benjamin, mais qui c'est qui nous parle sans arrêt ? On raconte que ce bois est magique, plein de gobelins, de loups, de...

— D'arbres », laissa tomber une voix dans l'obscurité, loin au-dessus. Une voix aux cordes de bois, pourrait-on dire.

« Ouais », fit le jeunot. Il tira sur son mégot et frissonna.

Le chef du groupe jeta un coup d'œil par-dessus le rocher en direction de la maisonnette.

« Bon, dit-il en tapotant sa pipe sur le talon de sa botte de sept lieues qui lâcha un couinement de protestation. On fonce à l'intérieur, on les cueille, on se casse. D'ac' ?

— T'es sûr que ce ne sont que des gens ? demanda le jeune sorcier, nerveux.

— Évidemment que j'en suis sûr, grogna le chef. Tu t'attends à trouver quoi ? Trois ours ?

— Il pourrait y avoir des monstres. C'est le genre de bois qu'a des monstres.

— Et des arbres, ajouta une voix amicale tombant des branches.

— Ouais », fit le chef, prudent.

Rincevent examina soigneusement le lit. Un joli petit lit fait dans une sorte de caramel dur, au beurre, incrusté de caramel nature, mais il aurait préféré le manger que dormir dedans ; d'ailleurs il semblait qu'on y avait déjà goûté.

« Quelqu'un a mangé mon lit, dit-il.

— J'aime bien le caramel au beurre, fit Deuxfleurs, sur la défensive.

— Si tu ne fais pas attention, la fée va venir te prendre toutes tes dents, dit Rincevent.

— Non, ça, ce sont les elfes, dit Swires depuis la coiffeuse. Ils font ça, les elfes. Les ongles de doigts de pieds, aussi. Des fois ils sont très susceptibles, ces elfes-là. »

Deuxfleurs s'assit lourdement sur son lit.

« Vous avez tort, dit-il. Les elfes sont beaux, magnanimes, sages et justes ; je suis sûr d'avoir lu ça quelque part. » Swires et la rotule de Rincevent échangèrent un regard.

« Je crois que vous évoquez des elfes différents, dit lentement le gnome. Nous, on a l'autre sorte, par ici. Non pas qu'ils soient soupe au lait, n'allez pas croire ça, ajouta-t-il hâtivement. Sauf si vous tenez à remporter vos dents dans votre chapeau, en tout cas. »

Il y eut le bruit ténu mais reconnaissable entre tous d'une porte en nougat qui s'ouvre. En même temps, depuis l'autre côté de la maisonnette, parvint un très léger tintement, comme un caillou qui casserait les carreaux d'une fenêtre en sucre d'orge le plus délicatement possible.

« C'était quoi, ce bruit ? demanda Deuxfleurs.

— Lequel ? » fit Rincevent.

Ils entendirent le *clong* d'une lourde branche qui heurta violemment l'appui de la fenêtre. Au cri de : « Les elfes ! » Swires détala à ras de plancher vers un trou de souris et disparut.

« Qu'est-ce qu'on va faire ? dit Deuxfleurs.

— Paniquer ? » proposa Rincevent avec espoir. Il avait toujours tenu la panique pour la meilleure technique de survie ; dans le temps, selon sa théorie, les gens qui tombaient nez à nez avec un tigre à dents de sabre se répartissaient tout bonnement en deux catégories : ceux qui paniquaient et ceux qui restaient sur place pour lui adresser des « oh, la belle bête ! » ou des « minou, minou ! »

« Là, un placard », dit Deuxfleurs qui désigna une porte étroite coincée entre le mur et le manteau de la cheminée. Ils se précipitèrent dans une obscurité à l'odeur douceâtre de renfermé.

Un grincement de lame de parquet en chocolat à l'extérieur. Quelqu'un dit : « J'ai entendu des voix. »

Quelqu'un d'autre répondit : « Ouais, en bas. Je crois que ce sont les Poudre-aux-yeux.

— Tu as dit qu'on leur avait faussé compagnie, il me semble !

56

« — Hé, vous deux, on peut tout manger ici ! Tenez, regardez, on peut...

— La ferme ! »

Il y eut encore d'autres grincements ; un cri étouffé monta du rez-de-chaussée, où un Voyant Vénérable qui avançait à pas de loup dans le noir depuis la fenêtre défoncée avait marché sur les doigts d'un Poudre-aux-yeux caché sous la table. Un chuintement ; un sifflement de magie se fit brusquement entendre.

« Quel couillon ! fit une voix. Ils l'ont eu ! Taillons-nous ! »

Encore des grincements, puis le silence. Au bout d'un moment, Deuxfleurs déclara : « Rincevent, je crois qu'il y a un balai dans ce placard.

— Et alors, qu'est-ce que ça a de drôle ?

— Celui-là, il a un guidon. »

Un cri perçant monta d'en dessous. Dans l'obscurité, un sorcier avait voulu ouvrir le couvercle du Bagage. Un fracas dans l'arrière-cuisine annonça l'irruption soudaine d'une bande de Mages Illuminés du Cercle Continu.

« Après quoi ils en ont, à ton avis ? chuchota Deuxfleurs.

— Aucune idée, mais je crois qu'il vaut sans doute mieux ne pas le savoir, répondit Rincevent, songeur.

— Tu as peut-être raison. »

Rincevent poussa tout doucement sur la porte pour l'ouvrir. La pièce était vide. Il gagna la fenêtre sur la pointe des pieds et regarda en bas les visages levés dans sa direction de trois Frères de l'Ordre de Minuit.

« C'est lui ! »

Il se retira précipitamment et se rua vers l'escalier.

Le spectacle au rez-de-chaussée était indescriptible, mais vu qu'une telle affirmation coûtait la peine de mort sous le règne d'Olaf Quimby II, essayons quand même. Tout d'abord, la plupart des sorciers aux prises essayaient d'éclairer le théâtre des opérations à l'aide de flammes, boules de feu et lueurs magiques en tous genres, si bien que l'ensemble donnait l'impression d'une soirée disco dans une usine de stroboscopes ; chacun s'efforçait de trouver une position qui lui aurait permis d'embrasser le décor sans se faire attaquer lui-même, et tout le monde sans exception s'efforçait de s'écarter du chemin du Bagage, qui avait coincé deux Voyants Vénérables dans un angle et claquait des dents à la moindre approche. Mais l'un des sorciers leva par hasard les yeux.

« C'est lui ! »

Rincevent se rejeta en arrière et quelque chose le heurta. Il lança alentour un regard affolé qui se figea à la vue de Deuxfleurs assis sur le balai, lequel flottait dans les airs.

« La sorcière a dû l'oublier ! fit le touriste. Un vrai balai magique ! »

Rincevent hésita. Des étincelles octarines fusaient des poils de l'engin et il avait une sainte horreur de l'altitude, mais ce qu'il détestait vraiment plus que tout, c'était une douzaine de sorciers teigneux en colère escaladant quatre à quatre un escalier pour l'attraper, et le cas se produisait, justement.

« D'accord, dit-il, mais c'est moi qui conduis. »

Il balança un coup de botte à un sorcier sur le point d'achever un sortilège de Ligature et sauta sur le balai, lequel piqua du nez pour plonger dans la cage d'escalier avant de se retourner sens dessus dessous, au grand dam d'un Rincevent horrifié qui se retrouva les yeux dans les yeux avec un Frère de Minuit.

Il glapit et d'un coup de poignet convulsif imprima un mouvement de torsion au guidon.

Plusieurs choses se passèrent en même temps. Le balai bondit en avant et traversa le mur dans une pluie de miettes ; le Bagage se précipita et mordit le Frère à la jambe ; et dans un drôle de sifflement, une flèche surgit de nulle part et manqua Rincevent de quelques centimètres pour venir se ficher avec un claquement sourd dans le couvercle massif du Bagage.

Le Bagage disparut.

Dans un petit village au fin fond de la forêt, un vieux shaman jeta quelques brindilles pour entretenir son feu et considéra à travers la fumée la mine penaude de son apprenti.

« Une boîte avec des jambes ? fit-il.

— Oui, maître. Elle est sortie du ciel et m'a regardé, dit l'apprenti.

— Elle avait des yeux, alors, cette boîte ?

— N... » commença l'apprenti qui s'arrêta, gêné. Le vieillard fronça les sourcils.

« Beaucoup ont vu Topaxci, dieu du Champignon Rouge, ce qui leur vaut d'être appelés shamans, dit-il. Certains ont vu Skelde, esprit de la fumée, et on les qualifie de sorciers. Quelques-uns ont eu le privilège de voir Umcherrel, l'âme de la forêt, et on les désigne sous le nom de maîtres de l'esprit. Mais aucun n'a vu de boîte avec des centaines de jambes qui regardait sans avoir d'yeux ; ceux-là, on les aurait traités d'id... »

L'interruption avait pour cause un brusque hurlement strident accompagné d'une rafale de neige et d'étincelles qui dispersa le feu à travers la hutte sombre ; le temps d'une brève vision floue, puis le mur d'en face vola en éclats et l'apparition s'évanouit.

Il y eut un long silence. Suivi d'un autre légèrement plus court. Le vieux shaman hasarda alors : « Tu n'as pas vu passer deux hommes la tête en bas sur un balai, qui braillaient et se criaient dessus, n'est-ce pas ? »

Le jeune garçon le regarda avec assurance. « Sûrement pas. »

Le vieillard poussa un soupir de soulagement. « Dieu soit loué, dit-il. Moi non plus. »

La maisonnette était en pleine pagaïe, parce que les sorciers voulaient à la fois poursuivre le balai et empêcher les concurrents de le faire, ce qui provoqua plusieurs incidents regrettables. Le plus spectaculaire et à coup sûr le plus tragique se produisit lorsqu'un Voyant tenta d'utiliser ses bottes de sept lieues sans respecter le bon ordre des sortilèges et des préparatifs. Les bottes de sept lieues, la chose a déjà été évoquée, sont dans le meilleur des cas une forme de magie délicate, et le sorcier se souvint trop tard qu'il convient de prendre les plus grandes précautions dans l'emploi d'un moyen de transport dont l'efficacité dépend en définitive de la manière adéquate de poser un pied trente kilomètres devant l'autre.

Les premières tempêtes de neige d'hiver faisaient rage ; une couche de nuages bizarrement épaisse couvrait une grande partie du Disque. Et cependant, vu de l'espace à la lumière argentée de la lune minuscule, le Disque-monde offrait l'un des plus beaux spectacles du multivers.

De grands serpentins brumeux, sur des centaines de kilomètres, tourbillonnaient de la cataracte du Bord aux montagnes du Moyeu. Dans le froid silence de cristal, l'immense spirale blanche glacée scintillait sous les étoiles en tournant imperceptiblement, comme si Dieu venait de remuer son café avant d'y verser la crème.

Rien ne troublait cet admirable panorama qui...

Au loin, quelque chose de petit creva la couche nuageuse, des lambeaux de vapeur dans son sillage. Dans le calme stratosphérique, les éclats d'une querelle fusèrent, haut et clair.

« Tu disais que tu savais piloter ces engins-là !

— Non, je n'ai pas dit ça ; j'ai seulement dit que toi, tu ne savais pas.

— Mais je ne suis encore jamais monté là-dessus !

— Quelle coïncidence !

— En tout cas, tu as dit... *Regarde le ciel !*

— Non, je n'ai pas dit ça !

— Qu'est-ce qui est arrivé aux étoiles ? »

Et c'est ainsi que Rincevent et Deuxfleurs furent les deux premières personnes du Disque à voir ce que réservait l'avenir.

A mille cinq cents kilomètres derrière eux, la montagne du Moyeu, Cori Celesti, poignardait le ciel et projetait une ombre luisante comme une lame de couteau sur les nuages bouillonnants ; les dieux auraient donc dû remarquer quelque chose eux aussi, mais il n'est pas dans leurs habitudes d'observer le firmament et de toute façon ils étaient en procès avec les Géants des Glaces, qui avaient refusé de baisser la radio.

Vers le Bord, dans le sens de la progression de la Grande A'Tuin, les étoiles avaient disparu du ciel.

Dans ce cercle de ténèbres, il n'en restait qu'une, rouge et sinistre, une étoile qui rappelait l'étincelle de haine dans l'orbite d'un vison enragé. Petite, terrible, impitoyable. Et le Disque se dirigeait droit sur elle.

Rincevent savait exactement que faire en pareille circonstance. Il se mit à hurler et lança le manche à balai en piqué.

Galder Ciredutemps, debout au centre de l'octogramme, leva les mains.

« *Urshalo, dileptor, c'hula*, que mes ordres soient exécutés ! »

Un halo de brume se forma au-dessus de sa tête. Il jeta un coup d'œil en coin à Trymon, qui boudait à la limite du cercle magique.

« Ce qui va suivre est très impressionnant, dit-il. Regardez ! *Kot-b'hai ! Kot-sham !* Venez à moi, ô esprits des petits cailloux isolés et des souris soucieuses de six centimètres minimum !

— Quoi ? fit Trymon.

— Cette partie-là m'a demandé beaucoup de recherches, convint Galder, surtout les souris. Bon, où en étais-je ? Ah, oui... »

Il leva à nouveau les bras. Trymon l'observa et se passa une langue affolée sur les lèvres. Le vieil imbécile se concentrait vraiment, consacrait tout son esprit au sortilège et ne lui prêtait plus guère attention.

Des paroles magiques roulaient tout autour de la pièce, rebondissaient sur les murs et filaient hors de vue derrière des étagères et des bocaux. Trymon hésitait.

Galder ferma un instant les yeux ; un masque d'extase se peignit sur son visage lorsqu'il prononça le mot ultime.

Trymon se tendit, ses doigts se crispèrent encore sur le couteau. Et Galder ouvrit un œil, branla du chef dans sa direction et expédia une décharge magique latérale qui souleva son cadet pour le projeter les quatre fers en l'air contre le mur.

Galder lui adressa un clin d'œil et leva une fois de plus les bras.

« Venez à moi, ô esprits de... »

Il y eut un coup de tonnerre, une implosion de lumière et un instant de complète incertitude physique durant lequel même les murs parurent se retourner par en dedans. Trymon entendit une brève inspiration puis le choc sourd d'un objet dur.

Le silence tomba soudain dans la pièce.

Au bout de quelques minutes, Trymon sortit en rampant de derrière un fauteuil et s'épousseta. Il sifflota quelques mesures de pas grand-chose et prit la direction de la porte avec un luxe de précautions, les yeux au plafond comme s'il le voyait pour la première fois. A sa façon d'avancer, on aurait dit qu'il s'attaquait au record du monde de vitesse, catégorie marche nonchalante.

Le Bagage, ramassé au centre du cercle, ouvrit son couvercle.

Trymon s'arrêta. Il se retourna très, très lentement, redoutant ce qu'il risquait de voir.

Le Bagage contenait apparemment du linge propre qui sentait légèrement la lavande. D'une certaine manière, c'était la vision la plus terrifiante que le sorcier ait jamais connue.

« Ben, euh... fit-il. Vous, hum... n'auriez pas vu un autre sorcier dans les parages, des fois ? »

Le Bagage trouva moyen de se donner un air encore plus menaçant.

« Ah, fit Trymon. Bon, très bien. Aucune importance. »

Il tira distraitement sur l'ourlet de sa robe et se prit d'un subit intérêt pour le détail de sa couture. Quand il releva les yeux, l'horrible coffre était toujours là.

« Au revoir », et il courut. Il réussit à passer la porte juste à temps.

« Rincevent ? » Rincevent ouvrit les yeux. Ça ne l'avançait guère, en fait : au lieu de ne voir que du noir, il ne voyait que du blanc, ce qui, étrangement, était pire.

« Tu vas bien ?

— Non.

— Ah. »

Rincevent se mit sur son séant. Il se trouvait apparemment sur un rocher moucheté de neige, mais qui ne respectait pas toutes les caractéristiques des rochers. Par exemple, il n'aurait pas dû bouger.

La neige tourbillonnait autour de lui. Deuxfleurs se tenait à quelques pas de là, la mine franchement soucieuse.

Rincevent grogna. Ses os lui en voulaient du traitement auquel il les avait récemment soumis et ils faisaient la queue pour se plaindre.

« Quoi encore ? jeta-t-il.

— Tu sais, quand on volait, que j'avais peur d'entrer en collision avec quelque chose dans la tempête et que tu m'as dit que le seul danger de ce genre à cette hauteur, c'était un nuage bourré de cailloux ?

— Oui, et alors ?

— Comment tu étais au courant ? »

Rincevent regarda autour de lui, mais question variété et intérêt du paysage, ils auraient aussi bien pu se retrouver dans une balle de ping-pong.

Le rocher en dessous de lui, eh bien... il remuait. Il fit courir ses mains à la surface et sentit des marques de burins. Lorsqu'il appliqua une oreille sur la pierre humide et froide, il s'imagina entendre un cognement sourd et lent, comme un battement de cœur. Il rampa pour s'approcher d'un bord et scruta très prudemment le vide.

A cet instant, le rocher dut survoler une trouée dans les nuages parce qu'il eut la vision indistincte mais horriblement distante de pics montagneux en dents de scie. Loin en dessous.

Il gargouilla de façon incohérente et recula centimètre par centimètre.

« C'est ridicule, dit-il à Deuxfleurs. Les rochers ne volent pas. Ils sont connus pour ça.

— Peut-être qu'ils voleraient s'ils en avaient les moyens, dit Deuxfleurs. Si ça se trouve, celui-ci a trouvé comment faire.

— Alors espérons qu'il ne va pas oublier en cours de route », répliqua Rincevent. Il se pelotonna dans sa robe trempée et contempla d'un œil morne le nuage autour de lui. Il y avait sans doute quelque part des gens maîtres de leur propre existence ; ils se levaient le matin et se couchaient le soir avec la quasi-certitude de ne pas passer par-dessus le bord du monde, de ne pas se faire agresser par des fous et de ne pas se réveiller sur un rocher bouffi d'idées de grandeur. Il se souvenait vaguement avoir jadis mené ce genre de vie.

Il renifla. Ce rocher sentait la friture. L'odeur semblait venir de l'avant et titilla d'emblée son estomac.

« Tu ne sens rien ? demanda-t-il.

— On dirait du bacon, dit Deuxfleurs.

— J'espère que ç'en est, fit Rincevent, parce que je vais le manger. » Il se mit debout sur la pierre tremblante et s'en fut d'un pied chancelant dans les nuages, fouillant des yeux l'obscurité humide.

Au bord, ou à la proue du rocher, un petit druide était assis en tailleur devant un maigre feu. Un carré de toile cirée lui protégeait la tête, noué sous le menton. Il tisonnait une poêlée de bacon à l'aide d'une faucille d'apparat.

« Hem », fit Rincevent. Le druide leva les yeux et lâcha la poêle dans le feu. Il bondit sur ses pieds et agrippa sa faucille d'un air agressif, pour autant qu'on puisse se donner un air agressif en longue chemise de nuit blanche mouillée et fichu dégoulinant.

« Je vous préviens, les pirates de l'air auront du fil à retordre avec moi, dit-il, et il éternua violemment.

— On vous donnera un coup de main », rétorqua Rincevent qui couvait des yeux le bacon en train de brûler. La réponse parut intriguer le druide ; Rincevent, un peu surpris, le trouva plutôt jeune, mais en théorie rien ne s'opposait à l'existence de jeunes druides, c'était seulement qu'il n'y avait jamais pensé.

« Vous n'essayez pas de détourner le rocher ? demanda le druide qui descendit sa faucille d'un poil.

— Je ne savais même pas qu'on pouvait détourner des rochers, fit Rincevent d'une voix lasse.

— Excusez-moi, dit poliment Deuxfleurs. Je crois que votre petit déjeuner prend feu. »

Le druide baissa les yeux et battit vainement des bras en direction des flammes. Rincevent se précipita pour l'aider, il s'ensuivit beaucoup de fumée, de cendres et de confusion, et le triomphe commun d'avoir réussi à sauver quelques morceaux de bacon calciné fit mieux que tout un traité de diplomatie.

« Au fait, comment êtes-vous arrivés ici ? demanda le druide. On est à cent cinquante mètres du sol, à moins que je ne me sois encore planté dans les runes. »

Rincevent s'efforça de ne pas penser à l'altitude. « On a comme qui dirait fait un saut en passant.

— On se rendait à terre, précisa Deuxfleurs.

— Seulement, votre rocher a stoppé notre chute », dit Rincevent. Son dos se plaignit. « Merci, ajouta-t-il.

— Il me semblait bien avoir traversé une turbulence il y a un moment, dit le druide qui se trouvait porter le nom de Belafon. C'était sûrement vous. » Il frissonna. « Ce doit être le matin, à présent. Et merde pour le règlement ! je grimpe. Cramponnez-vous !

— A quoi ? fit Rincevent.

— Ben, faites comprendre que vous ne voulez pas tomber, voilà tout », dit Belafon. Il sortit un grand pendule de fer de sa robe et lui fit décrire une série de mouvements circulaires déconcertants au-dessus du feu.

Les nuages défilèrent à toute allure autour des trois hommes, une horrible impression de pesanteur se fit sentir, et le rocher jaillit soudain à la lumière du soleil.

Il se stabilisa à quelques mètres au-dessus des nuages, dans un ciel froid mais d'un bleu éclatant. Les nuages, à l'air glacialement distants la veille au soir et affreusement collants ce matin, formaient désormais un blanc tapis floconneux qui s'étendait dans toutes les directions ; quelques pics montagneux émergeaient, telles des îles. Derrière le rocher, le souffle de son passage sculptait les nuages en tourbillons éphémères. Le rocher...

Il faisait *grosso modo* dix mètres de long sur trois de large et avait une couleur bleutée.

« Quel panorama étonnant ! s'écria Deuxfleurs, les yeux brillants.

— Euh... qu'est-ce qui nous maintient en l'air ? demanda Rincevent.

— La conviction, dit Belafon tout en essorant le bord de sa robe.

— Ah, fit Rincevent d'un ton doctoral.

— Les maintenir en l'air, c'est facile, ajouta le druide qui leva un pouce et loucha le long de son bras vers une montagne au loin. Le plus dur, c'est d'atterrir.

— On ne le dirait pas, hein ? lança Deuxfleurs.

— La conviction, voilà ce qui fait tenir l'ensemble de l'univers, dit Belafon. Ça ne vaut rien de tout ramener à la magie. »

Le regard de Rincevent tomba par hasard, à travers une éclaircie de nuages, sur un paysage enneigé très, très loin en dessous. Il se savait en présence d'un fou mais il en avait l'habitude ; s'il fallait écouter ce dément pour se maintenir en l'air, alors il était tout ouïe.

Belafon s'assit, les pieds pendouillant au bord du rocher.

« Vous savez, évitez de vous faire du souci, dit-il. Si vous continuez de penser que le rocher ne devrait pas voler, il risque de vous entendre, de s'en convaincre, et vous allez finir par avoir raison, O.K. ? Manifestement, les idées modernes, ça n'est pas votre truc.

— Ça m'en a tout l'air », fit Rincevent d'une voix faible. Il s'efforçait de ne pas penser à des rochers au sol. Il s'efforçait de penser à des rochers qui fondaient en piqué comme des hirondelles, rebondissaient à travers le paysage dans l'allégresse de leur légèreté, remontaient en chandelle vers le ciel dans...

Il avait l'horrible sentiment de ne pas être à la hauteur.

Les druides du Disque tiraient fierté de leur ouverture d'esprit quand il s'agissait d'aborder les mystères de l'univers. Bien entendu, à l'instar des druides de partout, ils croyaient à l'unité indispensable de la vie, au pouvoir de guérison des plantes, au rythme naturel des saisons et au bûcher pour quiconque professait des opinions différentes, mais ils avaient aussi réfléchi longuement, intensément sur le principe même de la création et formulé la théorie suivante :

L'univers, à leur point de vue, dépendait pour sa bonne marche de l'équilibre de quatre forces, dans lesquelles ils reconnaissaient le charme, la conviction, le doute et l'envie d'emmerder le monde.

Par exemple, le soleil et la lune tournaient autour du Disque parce qu'ils étaient convaincus de ne pas tomber, mais ne s'en éloignaient pas à cause du doute. Le charme permettait aux arbres de pousser, l'envie d'emmerder le monde les maintenait debout, et ainsi de suite.

Certains druides insinuaient que cette théorie présentait des lacunes, mais leurs aînés expliquaient avec force sous-entendus qu'il y avait assurément matière à une discussion s'appuyant sur des faits, aux passes d'armes d'un débat scientifique passionnant, lequel débat se tiendrait au sommet du prochain bûcher de solstice.

« Alors vous êtes astronome ? fit Deuxfleurs.

— Oh, non, dit Belafon, tandis que le rocher négociait en douceur la courbe d'une montagne. Je suis expert-conseil en matériel informatique.

— C'est quoi, du matériel informatique ?

— Eh ben, ça, c'en est, fit le druide qui tapa le rocher de sa sandale. Un élément, en tout cas. C'est une pièce de rechange. Je la livre. Ils ont des problèmes avec les grands cercles dans les Plaines du Vortex. C'est ce qu'ils disent, toujours bien ; j'aimerais qu'on me donne un torque de bronze par utilisateur qui n'a pas lu le manuel. » Il haussa les épaules.

« Alors, ça sert à quoi, exactement ? » demanda Rincevent. Tout était bon pour ne pas penser à la chute.

« On peut s'en servir pour... pour savoir à quelle période de l'année on est, dit Belafon.

— Ah. Vous voulez dire que s'il est recouvert de neige, alors on doit être en hiver ?

— Oui. Enfin, non. Je veux dire, supposons que vous ayez envie de savoir à quel moment certaine étoile va se lever...

— Pour quoi faire ? lâcha Deuxfleurs, montrant un intérêt poli.

— Eh ben, vous avez peut-être envie de savoir quand planter vos cultures, dit Belafon qui transpirait un peu, ou bien...

— Je peux vous prêter mon almanach, si vous voulez, proposa Deuxfleurs.

— Almanach ?

— Un livre qui dit quel jour on est, expliqua Rincevent d'un ton las. Vous devriez pourtant connaître ça, c'est comme qui dirait du dolmen public. »

Belafon se raidit. « Un livre ? Comment ça ? Avec du papier ?

— Oui.

— A moi, ça ne me paraît pas très fiable, jeta fielleusement le druide. Comment un livre peut-il savoir quel jour on est ? Le papier, ça ne sait pas compter. »

Il gagna en frappant du pied l'avant du rocher qui tangua d'une manière alarmante. Rincevent déglutit avec peine et fit signe à Deuxfleurs de s'approcher.

« As-tu déjà entendu parler de choc culturel ? sifflat-il.

— C'est quoi ?

— C'est ce qui arrive quand des gens passent cinq cents ans à essayer de faire correctement marcher un cercle de pierre et que débarque un type en possession d'un petit bouquin dont chaque page est consacrée à un jour et délivre des boniments ridicules du genre : "Le moment est venu de planter des fèves", ou "Se coucher tôt, se lever à l'aurore assure santé, richesse et mort", et sais-tu ce que le plus important à retenir sur le choc culturel... — Rincevent marqua une pause afin de reprendre son souffle puis remua les lèvres en silence pour retrouver la fin de sa phrase — ... c'est ? conclut-il.

— Quoi donc ?

— N'engueule pas le gars qu'est aux commandes d'un rocher de mille tonnes. »

« Il est parti ? »

Trymon jeta un coup d'œil prudent par-dessus les créneaux de la Tour de l'Art, la grande flèche à la maçonnerie effritée qui surplombait l'Université Invisible. Le paquet d'étudiants et de professeurs, en bas, opina d'une seule tête.

« Vous êtes sûrs ? »

L'économe mit ses mains en porte-voix et brailla : « Il a défoncé la porte du Centre et s'est échappé il y a une heure, monsieur.

— Erreur, dit Trymon. Lui est parti, nous nous sommes échappés. Bon, je vais descendre, alors. Il a eu quelqu'un ? »

L'économe déglutit. Ce n'était pas un sorcier, rien qu'un brave bonhomme qui aurait mieux fait de ne pas tomber sur le spectacle dont il avait été témoin une heure plus tôt. Bien sûr, il n'était pas rare de voir de petits démons, des lumières de couleur et divers produits semi-matérialisés de l'imagination déambuler sur le campus, mais quelque chose dans la charge implacable du Bagage l'avait démoralisé. Vouloir arrêter le coffre, ç'aurait été comme essayer de se colleter avec un glacier.

« Il a avalé le doyen du Programme d'Études générales, monsieur », hurla-t-il.

Le visage de Trymon s'éclaira. « Le malheur des uns... » murmura-t-il.

Il entama la longue descente de l'escalier en spirale. Au bout d'un moment, ses lèvres s'étrécirent en un mince sourire. Pas de doute, la journée virait à l'embellie.

Un gros travail d'organisation l'attendait. Et s'il y avait quelque chose dont raffolait Trymon, c'était organiser.

Le rocher franchit en piqué les hautes plaines, fit voler la neige des congères qu'il rasa de quelques décimètres seulement. Belafon se précipitait de droite et de gauche, barbouillait de la pommade de gui par-ci, traçait à la craie une rune par-là ; Rincevent se recroquevillait de terreur et d'épuisement pendant que Deuxfleurs s'inquiétait pour son Bagage.

« Là ! Devant ! cria le druide par-dessus le bruit des remous d'air. Regardez ! Le grand ordinateur des cieux ! »

Rincevent risqua un œil entre ses doigts. Sur la lointaine ligne d'horizon se dressait un immense ensemble de blocs gris et noirs disposés en cercles concentriques et avenues mystiques, lugubres et menaçants sur le fond de neige. Les hommes n'avaient sûrement pas pu déplacer ces montagnes à l'état naissant... il devait s'agir d'une troupe de géants pétrifiés par quelque...

« On dirait un tas de cailloux », lâcha Deuxfleurs.

Belafon hésita au milieu de son geste.

« Quoi ? fit-il.

— C'est très joli », s'empressa d'ajouter le touriste. Il chercha un mot. « Ethnique », se décida-t-il.

Le druide se raidit. « *Joli ?* dit-il. Un triomphe de la mouche informatique, un miracle de la technologie maçonnique moderne... *joli ?*

— Oh, oui, fit Deuxfleurs, pour qui sarcasme n'était qu'un mot de huit lettres commençant par *s*.

— Qu'est-ce que ça veut dire : ethnique ? demanda le druide.

— Ça veut dire terriblement impressionnant, jeta hâtivement Rincevent, et l'atterrissage risque d'être périlleux, si je puis me permettre... »

Belafon se retourna, un peu calmé mais sans plus. Il leva les bras, largement écartés, et hurla une suite de mots intraduisibles avant de murmurer « *joli !* » l'air vexé.

Le rocher ralentit, se laissa dériver en crabe dans une vague de neige et plana au-dessus du cercle. A terre, un druide agita deux bouquets de gui selon des motifs compliqués, et Belafon amena adroitement le bloc massif à se poser en travers de deux montants géants dans un claquement sec à peine perceptible.

Rincevent expulsa l'air de ses poumons dans un long soupir qui fila se cacher quelque part.

Une échelle cogna contre le flanc du bloc et la tête d'un vieux druide apparut au-dessus du bord. Il lança aux deux passagers un regard étonné puis leva les yeux vers Belafon.

« Pas trop tôt, bordel ! dit-il. On est à sept semaines de la Veille des Porchers, et c'est encore tombé en rade.

— Salut, Zakriah, dit Belafon. Qu'est-ce qui se passe cette fois ?

— Tout est foutu. Aujourd'hui il a prédit le lever du soleil trois minutes trop tôt. Tu parles d'un branque, alors ! »

Belafon passa sur l'échelle et disparut de la vue des passagers qui se regardèrent, puis contemplèrent en contrebas le vaste espace dégagé compris dans le cercle de pierres intérieur.

« On fait quoi, maintenant ? demanda Deuxfleurs.

— On pourrait aller dormir ? » suggéra Rincevent.

Deuxfleurs l'ignora et descendit l'échelle.

Autour du cercle, des druides tapaient sur les mégalithes à l'aide de petits marteaux et écoutaient attentivement. Plusieurs des formidables cailloux gisaient sur le flanc, chacun entouré de son groupe de druides qui l'examinaient soigneusement et discutaient entre eux. Des bouts de phrases mystérieux parvenaient à Rincevent, assis sur son rocher :

« Ça ne peut pas être une incompatibilité de logiciel... Le Chant de la Spirale Battue a été conçu pour des anneaux concentriques, crétin...

— Moi, je dis qu'il faut le rallumer et tenter une cérémonie à la lune toute bête...

— ... d'accord, d'accord, rien ne cloche dans les pierres, c'est l'univers qui s'est détraqué, c'est ça ? »

A travers les brumes de son esprit harassé, Rincevent se rappela l'horrible étoile qu'ils avaient vue dans le ciel. Quelque chose s'était bel et bien détraqué dans l'univers la nuit dernière.

Comment avait-il pu revenir sur le Disque ? Il avait le sentiment que les réponses se trouvaient quelque part dans sa tête. Et une impression encore plus désagréable lui vint : autre chose suivait la scène en contrebas... qui observait de derrière ses yeux.

Le Sortilège s'était glissé hors de sa tanière, par les chemins de terre inexplorés de son esprit, pour s'installer sans se gêner au premier rang de son cerveau, assister à la scène en cours et accomplir l'acte mental qui équivalait à manger du popcorn.

Il voulut le repousser... et le monde disparut.

Il était dans l'obscurité ; une obscurité chaude aux relents de moisi, l'obscurité de la tombe, le noir velouté du sarcophage.

Une forte odeur de cuir fatigué lui frappa les narines, puis l'aigreur du vieux papier. Le papier bruissa.

Il sentait l'obscurité pleine d'horreurs inimaginables... et l'ennui avec les horreurs inimaginables, c'est qu'on ne les imagine que trop facilement...

« Rincevent », dit une voix. Rincevent n'avait jamais entendu de lézard parler, mais s'il s'en était trouvé un pour le faire, il aurait eu cette voix-là.

« Euh... dit-il. Oui ? »

La voix gloussa... un bruit curieux, qui rappelait le parchemin.

« Tu devrais dire : "Où suis-je ?" fit-elle.

— Est-ce que j'apprécierais de le savoir ? » répondit Rincevent. Il écarquilla les yeux dans l'obscurité. Maintenant qu'il avait accommodé, il distinguait quelque chose. Quelque chose de vague, à peine assez clair pour qu'il n'y ait pas erreur, de simples entrelacs dans l'air. Quelque chose d'étrangement familier.

« D'accord, dit-il. Où suis je ?

— Tu rêves.

— Je peux me réveiller maintenant, s'il vous plaît ?

— Non, fit une autre voix, aussi vieille et sèche que la première mais pourtant légèrement différente.

— Nous avons quelque chose de très important à te dire », fit une troisième, si possible encore plus désincarnée que les autres. Rincevent hocha stupidement la tête. Dans un recoin de son esprit, le Sortilège se tapit et jeta un coup d'œil prudent pardessus son épaule mentale.

« Tu nous as causé beaucoup de soucis, jeune Rincevent, poursuivit la voix. Cette idée de passer par-dessus le bord du monde sans une pensée pour les autres ! Il nous a fallu sérieusement distordre la réalité, tu sais.

— Ben mince !

— Et maintenant une tâche très importante t'attend.

— Oh. Bien.

— Il y a longtemps, nous nous sommes arrangés pour que l'un des nôtres se cache dans ta tête, car nous savions que viendrait un temps où il te faudrait jouer un rôle de premier plan.

— Moi ? Pourquoi ?

— Tu fuis beaucoup, dit l'une des voix. C'est bien. Tu es apte à la survie.

— Apte à la survie ? J'ai failli me faire tuer des dizaines de fois.

— Précisément.

— Oh.

— Mais évite de tomber encore du Disque. Nous ne pouvons vraiment pas nous le permettre.

— Qui c'est, "nous", exactement ? » demanda Rincevent.

Il y eut un bruissement de papier dans l'obscurité.

« Au début était le Verbe, dit une voix sèche juste derrière lui.

— C'était l'Œuf, corrigea une autre voix. Je m'en souviens parfaitement. Le Grand Œuf de l'Univers. Un peu caoutchouteux.

— Vous vous trompez tous les deux, en réalité. Je suis sûr que c'était le Limon originel. »

Une voix près du genou de Rincevent dit : « Non, ça, c'était après. Il y a d'abord eu le Firmament. Plutôt collant, comme de la barbe à papa. Très sirupeux, en fait...

— Au cas où ça intéresserait quelqu'un, graillonna une voix à gauche de Rincevent, vous avez tous tort. Au début était le Raclement de la Gorge...

— ... puis le Verbe...

— Je vous demande pardon, le Limon...

— Nettement caoutchouteux, me semblait-il... »

Il y eut une pause. Puis une voix dit d'un ton prudent : « En tout cas, quoi que ce fût, nous nous en souvenons parfaitement.

— Tout à fait.

— Absolument.

— Et notre tâche est de veiller à ce que rien de terrible ne lui arrive, Rincevent. »

Rincevent loucha dans les ténèbres. « Auriez-vous la gentillesse de m'expliquer de quoi vous parlez ? »

Il entendit un soupir parcheminé. « Tant pis pour les métaphores, fit l'une des voix. Écoute, il est très important que tu gardes le Sortilège à l'abri dans ta tête et que tu nous le ramènes au bon moment, tu comprends, pour qu'à l'heure dite nous puissions être prononcés. Tu saisis ? »

Rincevent songea : « ... nous puissions être *prononcés* » ?

Et il comprit alors ce qu'était cet entrelacs au-dessus de lui. C'était de l'écriture sur une page, vue par en dessous.

« Je suis à l'intérieur de l'In-Octavo ? demanda-t-il.

— Par certains côtés métaphysiques », répondit l'une des voix avec désinvolture. Elle se rapprocha. Il sentit le bruissement sec juste sous son nez...

Il prit la fuite.

Le point rouge solitaire luisait dans son pan de ciel tout noir. Toujours vêtu des robes de cérémonie qu'il avait passées pour son intronisation de maître de l'Ordre, Trymon ne pouvait se départir de l'impression qu'il avait sensiblement grossi depuis qu'il le regardait. Il quitta la fenêtre sur un frisson.

« Alors ? fit-il.

— C'est une étoile, dit le professeur d'astrologie. Je crois.

— Vous croyez ? »

L'astrologue tressaillit. Ils se tenaient dans l'observatoire de l'Université Invisible, et la minuscule tête d'épingle rubis à l'horizon avait l'air moins menaçant que le nouveau maître de l'Ordre.

« Ben, vous voyez, le fait est que nous avons toujours cru les étoiles *grosso modo* semblables à notre soleil...

— Vous voulez dire des boules de feu d'un à deux kilomètres de diamètre ?

— Oui. Mais cette nouvelle, là, elle est... euh... grosse.

— Plus grosse que le soleil ? » fit Trymon. Il avait toujours trouvé impressionnante une boule de feu d'un kilomètre et demi de diamètre, même s'il désapprouvait les étoiles par principe. Elles mettaient la pagaïe dans le ciel.

« Beaucoup plus grosse, dit lentement l'astrologue.

— Plus grosse que la tête de la Grande A'Tuin, peut-être ? »

L'astrologue avait l'air malheureux.

« Plus grosse que la Grande A'Tuin et le Disque réunis, dit-il. Nous avons vérifié, s'empressa-t-il d'ajouter, et nous en sommes à peu près sûrs.

— Ça fait gros, convint Trymon. L'adjectif « énorme » vient à l'esprit.

— Massive, se hâta de confirmer l'astrologue.

— Hmm. »

Trymon arpenta le vaste sol de mosaïque de l'observatoire incrusté des signes du zodiaque discal. Il y en avait soixante-quatre, allant de Wezen le Kangourou Bicéphale à Gahoolie, le Vase de Tulipes (constellation d'une grande portée religieuse dont le sens, hélas, était désormais perdu).

Il s'arrêta sur les carreaux bleu et or de Mubbo la Hyène et se retourna soudain.

« Nous allons entrer en collision avec elle ? demanda-t-il.

— J'en ai peur, monsieur, dit l'astrologue.

— Hmm. » Trymon fit quelques pas en se caressant la barbe d'un air songeur. Il s'arrêta à nouveau sur la pointe d'Okjock le Marchand et le Panais Céleste.

« Je ne suis pas expert en la matière, dit-il, mais j'imagine que ça n'amènera rien de bon, hein ?

— Non, monsieur.

— C'est très chaud, les étoiles ? »

L'astrologue déglutit. « Oui, monsieur.

— Nous serons réduits en cendres ?

— Pour finir. Évidemment, nous aurons d'abord droit à des tremblements de disque, des raz-de-marée, des perturbations gravitationnelles et probablement une perte d'atmosphère.

— Ah. En un mot, une désorganisation indécente. »

L'astrologue hésita avant de concéder : « Comme vous dites, monsieur.

— Les gens paniqueront ?

— Pas très longtemps, je le crains.

— Hmm », fit Trymon qui passait à ce moment sur la Porte du Peut-Être pour virer en douceur vers la Vache du Ciel. Il leva la tête et loucha une fois encore vers la lueur rouge à l'horizon. Apparemment, il prenait une décision.

« On ne retrouve pas Rincevent, dit-il, et si on ne le retrouve pas, on ne retrouve pas non plus le Huitième Sortilège de l'In-Octavo. Pourtant, il nous faut lire l'In-Octavo pour éviter la catastrophe, telle est notre conviction... sinon pourquoi le Créateur nous l'aurait-il laissé ?

— Peut-être qu'Il était distrait », suggéra l'astrologue.

Trymon lui lança un regard noir.

« Les autres ordres fouillent tout le pays jusqu'au Moyeu, poursuivit-il en comptant ses arguments sur ses doigts, parce qu'il paraît insensé qu'un homme vole dans un nuage et n'en ressorte pas...

— A moins d'un nuage bourré de cailloux, dit l'astrologue dans un effort pitoyable et en définitive parfaitement infructueux pour détendre l'atmosphère.

— Mais il faut bien qu'il redescende... quelque part. Où ? nous demandons-nous.

— Où ? demanda l'astrologue, fidèle.

— Et aussitôt une ligne de conduite s'offre à nous.

— Ah, fit l'astrologue en courant pour essayer de rester à la hauteur du sorcier qui franchissait à grands pas les Deux Cousins Obèses.

— Et cette ligne de conduite, c'est... ? »

L'astrologue plongea le regard dans deux yeux aussi gris et froids que l'acier.

« Euh... on arrête de chercher ? risqua-t-il.

— Exactement. On se sert des dons que nous a accordés le Créateur, à savoir on regarde par terre, et qu'est-ce qu'on voit ? »

L'astrologue gémit intérieurement. Il regarda par terre.

« Des carreaux ? hasarda-t-il.

— Des carreaux, oui, qui ensemble forment le... ? » Trymon avait l'air d'attendre.

« Zodiaque ? tenta l'astrologue, au désespoir.

— Tout juste ! Donc, tout ce qu'il nous faut, c'est tirer l'horoscope précis de Rincevent, et nous saurons exactement où il se trouve ! »

L'astrologue se fendit du sourire du danseur qui après un numéro de claquettes sur des sables mouvants sent la résistance du rocher sous ses pieds.

« J'aurai besoin de savoir le lieu et l'heure précis de sa naissance, dit-il.

— Facile. Je les ai recopiés des archives de l'Université avant de monter. »

L'astrologue regarda les notes, et son front se plissa. Il traversa la salle et ouvrit un grand tiroir rempli de cartes. Il relut les notes. Il prit un compas tarabiscoté pour effectuer quelques passes sur les cartes. Il saisit un petit astrolabe de cuivre et le manœuvra prudemment. Il siffla entre ses dents. Il prit un morceau de craie et gribouilla quelques chiffres sur un tableau noir.

Trymon, pendant ce temps, contemplait la nouvelle étoile. Il songeait : d'après la légende de la pyramide de Tsort, quiconque dit les Huit Sortilèges à la file quand le Disque est en danger obtiendra tout ce qu'il désire. Et c'est pour bientôt !

Il songeait aussi : je me souviens de Rincevent, n'était-ce pas ce type négligé, toujours le dernier de la classe durant nos exercices ? Pas un poil de magie chez ce mec-là. Qu'on me l'amène devant moi, et on verra bien si on ne peut pas réunir les Huit...

L'astrologue lâcha à mi-voix : « Crénom ! » Trymon pivota.

« Alors ?

— Une carte passionnante », fit l'astrologue, haletant. Son front se plissa. « Plutôt curieux, en vérité.

— Comment ça, curieux ?

— Il est né sous le signe du Petit Groupe Rasoir d'Étoiles Faibles qui, vous le savez, se situe entre l'Original Volant et la Corde à Nœuds. On prétend que même les anciens ne trouvaient rien d'intéressant à dire sur ce signe qui...

— Oui, oui, allez, fit Trymon avec irritation.

— C'est le signe traditionnellement associé aux fabricants d'échiquiers, aux marchands d'oignons, aux façonniers d'images en plâtre sans grand intérêt religieux, et aux allergiques à l'étain. Aucunement un signe de sorcier. Et à l'heure de sa naissance, l'ombre de Cori Celesti...

— Je ne tiens pas à connaître tous les détails mécaniques, gronda Trymon. Contentez-vous de me donner son horoscope. »

L'astrologue, qui commençait à s'amuser un peu, soupira et fit quelques calculs supplémentaires.

« Très bien, annonça-t-il. Voilà ce qu'il dit : "Journée propice à de nouvelles amitiés. Une bonne action peut avoir des conséquences imprévisibles. Ne fâchez aucun druide. Vous entreprendrez bientôt un voyage hors du commun. Nourriture de chance : les concombres nains. Ceux qui pointent des couteaux sur vous mijotent probablement quelque chose. P.-S. : Pour les druides, ça n'est pas de la rigolade."

— Druides ? répéta Trymon. Je me demande... »

« Ça va ? » s'enquit Deuxfleurs.

Rincevent ouvrit les yeux.

Le sorcier se mit vite sur son séant et agrippa le touriste par la chemise.

« Je veux m'en aller ! lâcha-t-il d'un trait. Tout de suite !

— Mais il va y avoir une cérémonie traditionnelle, une cérémonie ancienne !

— Je me fiche qu'elle soit ancienne ! Je veux sentir d'honnêtes pavés sous mes pieds, je veux respirer l'odeur des fosses à purin, je veux aller là où il y a plein de gens, du feu, des toits, des murs et des tas de bonnes choses comme ça ! Je veux retourner *chez moi* ! »

Il se découvrait une envie soudaine et terrible pour les rues enfumées d'Ankh-Morpork, toujours à son avantage au printemps, quand une iridescence particulière jouait à la surface visqueuse des eaux bourbeuses de l'Ankh et que les gouttières retentissaient du chant des oiseaux, du moins de ceux qui toussaient en mesure.

Une larme lui embua l'œil au souvenir des effets subtils de la lumière sur le Temple des Petits Dieux, point de repère notoire, et une boule se forma dans sa gorge quand il se rappela l'éventaire de poisson frit à l'angle de la rue du Lisier et de celle des Artisans Madrés. Il songea aux cornichons qu'on y vendait, de grands trucs verts vautrés au fond de leurs bocaux comme des baleines noyées. Ils appelaient Rincevent par-delà les kilomètres, lui promettaient de le présenter aux œufs dans le vinaigre du bocal voisin.

Il songea aux douillets fenils et chaudes claires-voies des écuries où il passait ses nuits. Bêtement, il avait parfois renâclé sur ce mode de vie chevalin. Ça paraissait incroyable aujourd'hui, mais il l'avait trouvé harassant.

Maintenant, il en avait assez. Il rentrait chez lui. Cornichons au vinaigre, je vous entends qui m'appelez...

Il repoussa Deuxfleurs, rassembla sa robe en loques autour de lui avec une grande dignité, tourna le visage vers la zone de l'horizon où il situait sa ville natale et, d'un pas aussi décidé que distrait, franchit le bord d'un trilithe de neuf mètres.

Quelque dix minutes plus tard, lorsqu'un Deuxfleurs inquiet et plutôt contrit le dégagea du gros congère au pied des mégalithes, son expression n'avait pas changé. Le touriste le dévisagea d'un air interrogateur.

« Ça va ? demanda-t-il. Combien de doigts j'ai là ?

— Je veux retourner chez moi !

— D'accord.

— Non, n'essaye pas de m'en dissuader, j'en ai assez, j'aimerais dire que je me suis bien amusé, mais impossible, et... quoi ?

— J'ai dit d'accord, répéta Deuxfleurs. Ça me plairait bien de revoir Ankh-Morpork. J'espère qu'ils en ont reconstruit une bonne partie maintenant. »

La dernière fois que les deux hommes avaient vu la cité, la chose est à signaler, elle brûlait joyeusement, catastrophe à laquelle n'était pas étranger Deuxfleurs qui avait introduit le concept d'assurance-incendie auprès d'une populace aussi vénale qu'ignorante. Mais les dégâts par le feu faisaient partie de la vie morporkienne, et on avait toujours allégrement et méticuleusement rebâti la ville en se servant des matériaux locaux traditionnels : bois sec comme de l'amadou et chaume imperméabilisé au goudron.

« Oh, fit Rincevent, qui se tassa légèrement. Oh, c'est vrai. Très juste. Bon. On ferait peut-être mieux de partir, alors. »

Il s'extirpa péniblement de la neige et s'épousseta.

« Seulement, je crois qu'il vaudrait mieux attendre demain, ajouta Deuxfleurs.

— Pourquoi ?

— Eh bien, parce qu'on se gèle, on ne sait pas vraiment où on est, le Bagage a disparu, il commence à faire noir... »

Rincevent s'arrêta. Dans les canons encaissés de son esprit, il crut entendre un lointain bruissement de vieux papier. Il eut l'horrible impression que ses rêves allaient souvent se répéter désormais, et il avait bien mieux à faire que d'écouter les cours d'une bande de vieux sortilèges même pas capables de se mettre d'accord sur les origines de l'univers...

Une toute petite voix au fin fond de son cerveau demanda : « *Quoi de mieux à faire ?*

— Oh, la ferme ! répondit-il.

— J'ai seulement dit qu'on se gelait et... commença Deuxfleurs.

— Je ne parlais pas pour toi. Je parlais pour moi.

— Comment ?

— Oh, la ferme ! répéta Rincevent d'un ton las. Il n'y a rien à manger par ici, j'imagine ? »

Les pierres géantes se dressaient, noires et menaçantes dans la lumière verte déclinante du crépuscule. Le cercle intérieur grouillait de druides qui cavalaient à la lueur de plusieurs brasiers et faisaient la mise au point des périphériques nécessaires à tout ordinateur de pierre, tels que crânes de bélier coiffés de gui sur des mâts, bannières brodées de serpents entrelacés et ainsi de suite. Au-delà des cercles de lumière des feux, un grand nombre d'habitants des plaines s'étaient rassemblés ; les festivals druidiques étaient toujours populaires, surtout quand ça allait de travers.

Rincevent les regarda.

« Qu'est-ce qui se passe ?

— Oh, eh bien, fit Deuxfleurs avec enthousiasme, on dirait qu'il va se dérouler une cérémonie qui remonte à des milliers d'années pour célébrer... euh... la renaissance de la lune, ou peut-être du soleil. Non, je suis à peu près sûr que c'est de la lune. Ç'a l'air très solennel, très beau et emprunt d'une dignité très simple. »

Rincevent frissonna. Il commençait toujours à s'inquiéter quand Deuxfleurs se mettait à parler comme ça. Au moins, il n'avait pas encore prononcé « pittoresque » ni « archaïque » ; Rincevent n'avait jamais trouvé de traduction satisfaisante pour ces mots-là, mais le plus proche auquel il était parvenu, c'était « pépins ».

« J'aimerais que le Bagage soit là, regretta le touriste. Je pourrais me servir de ma boîte à images. Ça m'a l'air très archaïque et pittoresque. »

La foule qui attendait s'agita. La cérémonie allait bientôt commencer, semblait-il.

« Écoute, se dépêcha de dire Rincevent. Les druides sont des prêtres. Tu ne dois pas l'oublier. Ne fais rien qui pourrait les fâcher.

— Mais...

— Ne leur propose pas d'acheter les pierres.

— Mais je...

— Ne te mets pas à parler de leurs coutumes locales archaïques.

— Je pensais...

— Ne cherche surtout pas à leur placer une assurance, ça, ça les fâche toujours.

— Mais ce sont des prêtres ! » gémit Deuxfleurs. Rincevent marqua une pause.

« Oui, dit-il. Justement, non ? »

De l'autre côté du cercle extérieur, une espèce de procession se formait.

« Mais les prêtres sont de braves gens, dit Deuxfleurs. Chez moi, on les voit passer avec leurs sébiles. C'est leur seul bien, ajouta-t-il.

— Ah, fit Rincevent, pas certain de comprendre. C'est pour recueillir le sang, c'est ça ?

— Le sang ?

— Oui, celui des sacrifices. » Rincevent songeait aux prêtres qu'il avait connus chez lui. Soucieux, bien entendu, de ne pas s'attirer l'inimitié d'un quelconque dieu, il avait assisté à bon nombre de réunions dans des temples et, à tout prendre, il concevait ainsi la définition la plus appropriée d'un prêtre des régions de la mer Circulaire : quelqu'un qui baignait la plupart du temps dans le sang jusqu'au cou.

Deuxfleurs prit un air horrifié.

« Oh, non ! dit-il. Là d'où je viens, les prêtres sont de saints hommes qui consacrent leur vie à la pauvreté, aux bonnes œuvres et à l'étude de la nature de Dieu. »

Rincevent considéra cette proposition originale.

« Pas de sacrifices ? fit-il.

— Absolument aucun. »

Rincevent décrocha. « En tout cas, dit-il, à moi, ils ne m'ont pas l'air très saints. »

Un bruit tonipétant fusa d'un ensemble de trompettes de bronze. Rincevent contempla le spectacle. Une file de druides aux longues faucilles décorées de rameaux de gui passait lentement au pas. Divers jeunes prêtres et apprentis les suivaient en jouant une variété d'instruments de percussion traditionnellement censés chasser les esprits malins, et vraisemblablement efficaces.

La lumière des torches créait des formes follement impressionnantes sur les pierres qui se détachaient, lugubres, sur le fond de ciel verdâtre. Vers le Moyeu, les voiles chatoyants de l'aurore coriale se mirent à clignoter et papilloter parmi les étoiles tandis qu'un million de cristaux de glace dansaient dans le champ magique du Disque.

« Belafon m'a tout expliqué, chuchota Deuxfleurs. Nous allons voir une cérémonie consacrée qui célèbre l'Unité de l'Homme avec l'Univers, c'est ce qu'il a dit. »

Rincevent, la mine renfrognée, suivait la procession du regard. Alors que les druides se dispersaient autour d'une grande pierre plate qui dominait le centre du cercle, il ne put s'empêcher de remarquer la jolie mais pâle jeune femme au milieu d'eux. Elle portait une longue robe blanche, un torque d'or autour du cou, et son visage exprimait une vague appréhension.

« Une druidesse ? demanda Deuxfleurs.

— Je ne crois pas », répondit lentement Rincevent.

Les druides se mirent à chanter. C'était, de l'avis de Rincevent, une mélopée particulièrement déplaisante et plutôt ennuyeuse qui donnait l'impression de préparer un brutal crescendo. La vue de la jeune femme allongée sur la grande pierre ne détourna pas le cours des pensées du sorcier.

« Je veux rester, dit Deuxfleurs. Je crois qu'on revient, dans ce genre de cérémonie, à une simplicité primitive qui...

— Oui, oui, fit Rincevent, mais ils vont la sacrifier, si tu veux savoir. »

Deuxfleurs le regarda avec étonnement.

« Quoi ? La tuer ?

— Oui.

— Pourquoi ?

— Ne me le demande pas. Pour faire pousser les cultures, ou lever la lune, n'importe quoi. Ou peut-être que ça leur plaît de tuer les gens. C'est ça, la religion. »

Il prit conscience d'un faible bourdonnement qu'il sentait plus qu'il n'entendait. Il semblait provenir de la pierre voisine. De petits points de lumière tremblotaient sous sa surface, comme des grains de mica.

Deuxfleurs ouvrait et fermait la bouche.

« Ils ne pourraient pas se contenter de fleurs, de fruits, des trucs comme ça ? fit-il. Quelque chose de symbolique ?

— Nan.

— Quelqu'un a déjà essayé ? »

Rincevent soupira. « Écoute, dit-il. Aucun grand prêtre qui se respecte ne va participer à tout ce cirque avec trompettes, procession, bannières et le reste pour ensuite planter son couteau dans une jonquille et deux ou trois prunes. Il faut te rendre à l'évidence, toutes ces histoires de rameaux d'or, de cycles de la nature et de je ne sais quoi ne se résument qu'au sexe et à la violence, généralement en même temps. »

A sa surprise, la lèvre de Deuxfleurs tremblait. Le touriste ne regardait pas seulement le monde à travers des lunettes roses, Rincevent le savait... il le regardait aussi a travers un cerveau rose et l'écoutait par des oreilles roses.

La mélopée annonçait un crescendo inéluctable. Le premier druide éprouvait le fil de sa faucille, et tous les yeux étaient tournés vers le doigt de pierre sur les collines enneigées au-delà du cercle, où la lune devait jouer la vedette surprise.

« Pas la peine que tu... »

Mais Rincevent parlait dans le vide.

Le paysage glacial en dehors du cercle n'était cependant pas totalement dénué de vie. D'une part, un groupe de sorciers, avertis par Trymon, s'approchait au même instant.

D'autre part, une silhouette courtaude et solitaire épiait elle aussi depuis l'abri d'une pierre providentiellement tombée. L'une des plus grandes légendes du Disque suivait avec beaucoup d'intérêt les événements qui se déroulaient dans le cercle de pierres.

Elle vit les druides se mettre en rond et chanter, vit le druide en chef lever sa faucille...

Entendit la voix.

« Dites ! Excusez-moi ! Je peux placer un mot ? »

Rincevent chercha désespérément autour de lui un moyen de s'échapper. Rien.

Deuxfleurs se tenait près de l'autel de pierre, un doigt en l'air, dans une attitude polie mais décidée.

Le sorcier se rappelait le jour où son compagnon avait estimé qu'un conducteur de bestiaux qui passait par là battait trop fort son bétail ; sa plaidoirie contre le mauvais traitement des animaux avait valu à Rincevent de se faire généreusement piétiner et légèrement encorner.

Les druides regardaient Deuxfleurs ; on les aurait dits en présence d'une brebis malade ou d'une pluie soudaine de grenouilles. Rincevent n'entendait pas bien ce que racontait le touriste, mais des bouts de phrases comme « coutumes ethniques », « des noisettes et des fleurs », lui parvenaient par-dessus le cercle silencieux.

Puis des doigts comme des allumettes au fromage se refermèrent sur la bouche du sorcier, une lame extrêmement effilée lui éplucha la pomme d'Adam et une voix étouffée lui souffla dans l'oreille :

« Paj un chon, chinon t'es un homme mort. »

Les yeux de Rincevent roulèrent dans leurs orbites comme s'ils cherchaient à sortir.

« Si vous ne voulez pas que je parle, comment saurez-vous que j'ai compris ce que vous venez de dire ? siffla-t-il.

— La ferme et dis-moi che que l'autre imbéchile est en train de faire !

— Non, mais écoutez, si je dois la fermer, comment puis-je... » Le couteau sur sa gorge se mua en trait de douleur, et Rincevent décida d'oublier la logique.

« Son nom, c'est Deuxfleurs. Il n'est pas du pays.

— Cha m'en a tout l'air. Un de tes jamis ?

— Nous entretenons ce type de relation haine-haine, oui. »

Rincevent ne voyait pas son ravisseur, mais d'après ce qu'il en sentait, l'autre devait avoir un corps tout en cintres. Il répandait aussi une forte odeur de menthe poivrée.

« L'en a dans les tripes, cha, j'reconnais. Fais jegjactement che que j'te dis, et peut-être que les tripes en quechtion serviront pas à l'attacher autour d'une de ches pierres.

— Brrr !

— Ils chont pas très jœcuméniques dans l'checteur, tu vois. »

La lune, conformément aux lois de la conviction, choisit ce moment pour se lever, mais par égard pour celles de l'informatique le fit ailleurs qu'à l'endroit prévu par les pierres.

Ce qui apparut à sa place à travers les lambeaux de nuages, ce fut une étoile rouge éblouissante. Exactement à l'aplomb de la pierre la plus sacrée du cercle, elle étincelait comme la lueur qui hante les orbites vides de la Mort. Elle était menaçante, effrayante et, Rincevent ne manqua pas de le remarquer, un tout petit peu plus grosse que la nuit précédente.

Un cri d'horreur monta de l'assemblée des prêtres. La foule des talus alentour se pressa en avant ; ça promettait.

Rincevent sentit qu'on lui glissait le manche d'un couteau dans la main, et la voix chuintante derrière lui souffla : « T'as déjà fait che genre de choje ?

— Quel genre de chose ?

— Foncher dans jun temple, jigouiller les prêtres, rafler l'or et récupérer la fille chaine et chauve ?

— Non, pas précisément.

— Tu fais comme cha. »

A quelques centimètres de la tête de Rincevent, une voix lança le cri du babouin qui vient de se faire prendre la patte dans un canon à écho, puis une petite silhouette sèche et nerveuse le dépassa à toute allure.

A la lueur des torches il s'aperçut qu'il s'agissait d'un très vieil homme, de la variété maigrelette qu'on qualifie généralement d'« ingambe », complètement chauve, barbu presque jusqu'aux genoux, monté sur deux jambes-allumettes dont les varices dessinaient le plan des rues d'une grande ville. Malgré la neige, il ne portait rien de plus qu'un fourre-tout de cuir clouté et une paire de bottes qui auraient facilement hébergé une seconde paire de pieds.

Les deux druides les plus proches échangèrent un regard et soupesèrent leurs faucilles. Il y eut un bref mouvement indistinct, et ils s'écroulèrent en tas, râlant à l'agonie.

Dans l'agitation qui s'ensuivit, Rincevent se glissa en crabe vers la pierre d'autel en tenant son couteau du bout des doigts afin de ne pas s'attirer de réflexions désobligeantes. En fait, personne ne lui accorda grande attention ; les druides qui n'avaient pas fui le cercle, essentiellement les plus jeunes et les plus musclés, s'étaient rassemblés autour du petit vieux pour débattre de la question du sacrilège propre aux cercles de pierres, mais à en juger par les ricanements et grincements de cartilage, c'était lui qui menait la discussion.

Deuxfleurs suivait le combat avec intérêt. Rincevent l'attrapa par l'épaule.

« Allons-nous-en, dit-il.

— On ne pourrait pas lui donner un coup de main ?

— Je suis sûr qu'on ne ferait que le gêner, s'empressa de répliquer Rincevent. Tu sais ce que c'est que d'avoir des gens qui regardent par-dessus ton épaule quand tu es occupé.

— Au moins, on devrait secourir la jeune dame, reprit Deuxfleurs avec fermeté.

— D'accord, mais grouille-toi ! »

Deuxfleurs prit le couteau et se dépêcha de gagner la pierre d'autel. Après plusieurs essais ridicules, il parvint à trancher les liens de la fille qui s'assit pour éclater en sanglots.

« Tout va bien... commença-t-il.

— Ah, merde non, alors ! le coupa-t-elle en le foudroyant de deux yeux rougis. Pourquoi faut-il toujours des gens pour tout gâcher ? » Elle se moucha avec colère dans le bord de sa robe.

Deuxfleurs, embarrassé, leva la tête vers Rincevent.

« Euh... je crois que vous me comprenez mal, dit-il. Voyez-vous, nous venons de vous sauver d'une mort absolument certaine.

— Ce n'est pas facile par ici, fit-elle. Je veux dire, pour garder sa... » Elle rougit et tordit pitoyablement l'ourlet de sa robe. « Enfin, pour rester... pour ne pas se laisser... ne pas perdre ses qualifications...

— Qualifications ? » répéta Deuxfleurs qui gagna la Coupe Rincevent décernée à l'esprit le plus lent de tout le multivers. Les yeux de la fille s'étrécirent.

« Dire que je serais là-haut à l'heure qu'il est, auprès de la déesse de la Lune, à boire de l'hydromel dans une coupe d'argent, dit-elle avec humeur. Huit ans à rester à la maison le samedi soir fichus en l'air ! »

Elle regarda Rincevent et fit la grimace.

Il perçut alors quelque chose. Peut-être un bruit de pas à peine audible derrière lui, ou un mouvement réfléchi dans les yeux de la fille, en tout cas il se baissa.

Un objet passa en sifflant là où s'était trouvé son cou et ricocha sur le crâne chauve de Deuxfleurs. Rincevent pivota et vit l'archidruide qui armait son bras pour un nouveau coup de faucille ; à défaut de pouvoir s'échapper, il lança le pied.

Il atteignit le prêtre carrément sur la rotule. Tandis que l'homme hurlait et lâchait son arme, il se produisit un léger choc désagréable de chair et l'homme s'abattit en avant. Derrière lui, le petit vieux à longue barbe dégagea son épée du cadavre, l'essuya avec une poignée de neige et déclara : « Mon nerf chiatique me fait un mal de chien. Tu porteras le tréjor.

— Le trésor ? fit Rincevent d'une voix faible.

— Tous leurs chautoirs et le rechte. Tous leurs colliers en or. Ils jen ont des tas. Ch'est comme cha, les prêtres, crachouilla le vieillard. Des torques, des torques et encore des torques. Qui ch'est, la fille ?

— Elle ne veut pas qu'on la sauve », dit Rincevent. La fille regarda le petit vieux d'un air de défi à travers le barbouillage de son fard à paupières.

« Ben merde, alors », fit-il, et dans la foulée il la souleva, chancela un peu, pesta contre son arthrite et s'écroula par terre.

Au bout d'un moment, toujours étalé face contre terre, il lança : « Rechte pas là, echpèche de chalope de dingue... aide-moi à me relever. » A la surprise de Rincevent, et certainement à celle de la fille aussi, elle obéit.

Le sorcier, pendant ce temps, essayait de ranimer Deuxfleurs. Le touriste portait au tympan une éraflure apparemment peu profonde, mais il restait inconscient, la figure figée dans un sourire vaguement soucieux. Il avait la respiration faible et... bizarre.

Et il semblait léger. Pas simplement en dessous du poids normal, mais dépourvu de poids. Le sorcier aurait aussi bien pu tenir une ombre.

Rincevent se rappela ce qu'on racontait sur les druides, qu'ils se servaient de poisons étranges et terribles. Évidemment, on racontait aussi — c'étaient souvent les mêmes gens — que les escrocs avaient toujours les yeux rapprochés, que la foudre ne frappait jamais deux fois au même endroit et que si les dieux avaient voulu voir les hommes voler, ils leur auraient donné un billet d'avion. Mais quelque chose dans la légèreté de Deuxfleurs effraya Rincevent. L'effraya horriblement.

Il leva la tête pour regarder la fille. Elle avait jeté le vieux sur son épaule et elle adressa au sorcier un vague sourire d'excuse. De quelque part dans le creux de ses reins une voix lança : « On n'oublie rien ? Alors tirons-nous d'ichi avant qu'ils reviennent ! »

Rincevent se coinça Deuxfleurs sous le bras et les suivit au petit trot. Ça paraissait la seule chose à faire.

Le petit vieux avait un gros cheval blanc attaché à un arbre desséché, dans une ravine envahie par la neige à quelque distance des cercles. L'animal arborait un beau poil luisant et son image de magnifique cheval de bataille n'était qu'à peine ternie par le rond de siège pour hémorroïdes accroché à la selle.

« O.K., dépoje-moi. Y a une bouteille d'une chorte de liniment dans la chacoche de chelle, alors chi cha t'ennuie pas... »

Rincevent cala Deuxfleurs du mieux possible contre l'arbre et, au clair de lune — ainsi qu'à la faible lueur rouge de la nouvelle étoile lourde de menace, s'aperçut-il —, il détailla vraiment pour la première fois son sauveur.

L'homme n'avait qu'un œil ; un cache noir masquait l'autre. Un réseau de cicatrices couvrait son corps maigre pour l'heure contracté et enflammé par une tendinite. Ses dents avaient à l'évidence depuis longtemps décidé de prendre le large.

« Qui êtes-vous ? demanda le sorcier.

— Bethan », répondit la fille en étalant une pleine main d'onguent vert nauséabond dans le dos du vieillard. Si on lui avait demandé d'imaginer à quoi elle allait se consacrer une fois sauvée d'un sacrifice de vierge par un héros au blanc destrier, elle n'aurait probablement pas songé au liniment, mais puisque liniment il y avait, elle s'acquittait de sa tâche avec conscience. C'était l'impression qu'elle donnait.

« Pas toi, lui », dit Rincevent.

Un œil luisant comme une étoile se leva vers le sorcier.

« Mon nom, ch'est Cohen, mon gars. » Les mains de Bethan arrêtèrent leur va-et-vient.

« Le sieur Cohen ? fit-elle. Cohen le Barbare ?

— Le chieur Cohen lui-même.

— Holà, holà, fit Rincevent. Cohen, c'est un grand costaud... un cou de taureau, des pectoraux comme un sac rempli de ballons. Enfin quoi, c'est le plus grand guerrier du Disque, une légende de son vivant. Je me souviens de mon grand-père qui me racontait l'avoir vu... qui me racontait... qui me... »

Il hésita sous le regard perçant qui le fixait.

« Oh, dit-il. Oh. Bien sûr. Désolé.

— Oui, dit Cohen qui soupira. Ch'est cha, mon gars. Je chuis un vivant dans ma légende.

— Mince alors, fit Rincevent. Quel âge vous avez, exactement ?

— Quatre-vingt-chept.

— Mais vous avez été le plus grand ! dit Bethan. Les bardes chantent encore vos exploits. »

Cohen haussa les épaules et lâcha un petit glapissement de douleur.

« J'ai jamais touché de droits d'auteur », dit-il. Il contempla la neige d'un air chagrin. « Ch'est la chaga de ma vie. Quatre-vingts j'ans de métier, et tout cha pour quoi ? Des douleurs dans le dos, des j'hémorroïdes, une mauvaise digechtion et une chentaine de rechettes de choupe différentes. De la choupe ! Je détechte la choupe ! »

Le front de Bethan se plissa. « De la choupe ?

— De la soupe », expliqua Rincevent.

— Ouais, de la choupe, reprit Cohen, malheureux. Ch'est mes dents, vous comprenez. Perchonne vous prend au chérieux quand vous n'avez plus de dents ; ils dijent : « Va donc nous chier quelques rondins pour le feu, grand-père, et viens prendre un bol de choupe... »

94

Cohen dirigea soudain son œil pénétrant sur Rincevent. « Ch'est une mauvaije toux que t'as là, mon gars. »

Rincevent détourna la tête, incapable de regarder Cohen en face. Puis son cœur chavira. Deuxfleurs était toujours adossé à l'arbre, inconscient, l'air calme et aussi réprobateur que possible en de telles circonstances.

Cohen parut se souvenir à son tour de lui. Il se remit debout sur des jambes chancelantes et se traîna jusqu'au touriste. Du pouce il lui ouvrit les deux yeux, puis examina l'éraflure, lui prit le pouls.

« Il est parti, dit-il.

— Mort ? » fit Rincevent. Au parlement de son esprit une douzaine d'émotions se dressèrent et se mirent à vociférer. Soulagement était en pleine logorrhée lorsque Commotion intervint pour un rappel à l'ordre, à la suite de quoi Ahurissement, Terreur et Perte en vinrent aux mains et ne se séparèrent qu'au moment où Honte entra timidement par la porte d'à côté pour connaître la raison de tout ce raffut.

« Non, répondit Cohen, songeur. Pas vraiment. Juchte... parti.

— Parti où ?

— Je n'chais pas, dit Cohen, mais je crois connaître quelqu'un qui aurait peut-être une carte. »

Ailleurs sur le champ de neige, une demi-douzaine de minuscules points rouges luisaient dans l'ombre.

« Il n'est pas loin », dit le chef du groupe de sorciers, les yeux plongés dans une petite sphère de cristal.

Un marmonnement général monta des rangs derrière lui, qui laissait vaguement entendre que Rincevent aurait beau se trouver loin, il le serait encore moins qu'un bon bain chaud, un excellent repas et un lit douillet.

Puis le sorcier traînard qui peinait à l'arrière s'arrêta et dit : « Écoutez ! »

Ils écoutèrent. On distinguait les bruits discrets de l'hiver qui assurait sa prise sur le pays, les craquements des rochers, les bousculades assourdies des petites créatures dans leurs tunnels sous la couverture de neige. Dans une forêt au loin, un loup hurla, se sentit gêné en constatant que personne ne se joignait à lui et s'interrompit. On percevait le son argentin du clair de lune tombant comme une pluie de neige fondue. Et les sifflements d'une demi-douzaine de sorciers qui s'efforçaient de respirer calmement.

« Je n'entends rien du tout... commença l'un.

— Chhhut !

— Bon, bon... »

Puis ils l'entendirent tous : un faible crissement très lointain, comme si quelque chose se déplaçait à toute allure sur la croûte de neige.

« Des loups ? » fit un sorcier. Ils imaginèrent tous une centaine de bêtes efflanquées, affamées, qui bondissaient dans la nuit.

« N-non, répondit le chef. Trop régulier. Peut-être un messager ? »

C'était plus fort maintenant, des craquements rythmés comme si quelqu'un mangeait du céleri à la va-vite.

« Je vais envoyer une balle éclairante », dit le chef. Il ramassa une poignée de neige, la roula en boule, la jeta en l'air et l'alluma d'un jet de feu octarine qui lui jaillit du bout des doigts. Il se produisit un éblouissement bleu aussi bref que violent.

Il y eut un instant de silence. Puis un autre sorcier : « Pauvre couillon, je ne vois plus rien à présent. »

Ce fut la dernière chose qu'ils entendirent avant qu'un bolide rigide et bruyant surgi des ténèbres ne les percute et ne disparaisse dans la nuit.

Lorsqu'ils se dégagèrent mutuellement de la neige, tout ce qu'ils découvrirent, ce fut une piste toute tassée de petites empreintes de pieds. Des centaines de petites empreintes très rapprochées qui suivaient dans la neige une direction aussi rectiligne qu'un faisceau de projecteur.

« Une nécromancienne ! » fit Rincevent.

La vieille femme de l'autre côté du feu haussa les épaules et sortit un paquet de cartes graisseuses d'une poche invisible.

Malgré la forte gelée du dehors, l'intérieur de la yourte embaumait l'aisselle de forgeron et le sorcier transpirait déjà abondamment. Le crottin de cheval faisait un bon combustible, mais le Peuple du Cheval avait beaucoup à apprendre sur l'air conditionné, à commencer par ce que ça voulait dire.

Bethan se pencha de côté.

« C'est quoi, la nette romance ? chuchota-t-elle.

— La nécromancie. Parler aux morts, expliqua-t-il.

— Oh », fit-elle, vaguement déçue.

Ils avaient pris un repas de viande de cheval, de fromage de cheval et de boudin de cheval préparé par le maître-queue de cheval, arrosé d'une chopine de... bière clairette dont Rincevent préférait ignorer l'origine. Cohen (qui avait eu droit à la soupe de cheval) expliquait que les Tribus du Cheval des steppes centrales étaient nées en selle, ce que Rincevent estimait une impossibilité gynécologique, et qu'elles étaient particulièrement adeptes de magie naturelle, puisque la vie sur la steppe à perte de vue permet de constater avec quelle précision le ciel s'ajuste à la terre autour des bords, ce qui inspire naturellement de profondes pensées à l'esprit, du genre « pourquoi ? », « quand ? » et « si on essayait du bœuf pour changer ? »

La grand-mère du chef opina en direction de Rincevent puis étala les cartes devant elle.

Rincevent, la chose a déjà été signalée, était le plus mauvais sorcier du Disque : depuis que le Sortilège avait élu domicile dans sa tête, aucun autre ne pouvait y rester, de la même façon que les poissons ne s'éternisent pas dans l'étang où rôde un brochet. Mais il avait tout de même sa fierté, et les sorciers n'aiment pas voir des femmes s'adonner à la magie, aussi simple soit-elle. L'Université Invisible n'avait jamais admis les femmes, soi-disant pour des problèmes de plomberie, mais la véritable raison, c'était la crainte informulée que si les femmes obtenaient le droit de mettre leur nez dans la magie, elles s'y révéleraient probablement excellentes, donc gênantes...

« De toute façon, je ne crois pas aux Carots, grommela-t-il. Toutes ces fables qui leur prêtent la sagesse concentrée de l'univers, c'est de la foutaise. »

La première carte, jaunie par la fumée et chiffonnée par l'âge, c'était...

Ç'aurait dû être l'Étoile. Mais le disque rond coutumier, aux petits rayons grossiers, s'était mué en minuscule point rouge. La vieille femme marmonna et griffa la carte de son ongle, puis lança un regard pénétrant à Rincevent.

« Je n'ai rien à voir là-dedans, moi », dit-il.

Elle retourna l'Importance de se Laver les Mains, le Huit d'Octogramme, le Dôme du Ciel, l'Étang de la Nuit, le Quatre d'Éléphant, l'As de Tortue et — Rincevent s'y attendait — la Mort.

Et sur cette carte-là aussi, quelque chose clochait. Elle aurait dû montrer un dessin assez réaliste de la Mort sur son cheval blanc, et jusque-là ça concordait. Mais le ciel avait une teinte rouge, et sur une colline au loin apparaissait une toute petite silhouette, à peine visible à la lueur des lampes à graisse de cheval. Rincevent n'eut pas besoin de l'identifier parce que derrière elle venait un coffre monté sur des centaines de petites jambes.

Le Bagage suit partout son propriétaire.

Rincevent porta son regard sur Deuxfleurs à l'autre bout de la tente, forme blême sur une pile de peaux de cheval.

« Il est vraiment mort ? » demanda-t-il. Cohen traduisit pour la vieille femme qui fit non de la tête. Elle tendit la main vers un petit coffret de bois par terre auprès d'elle et farfouilla dans un tas de sachets et de bouteilles pour en extraire une petite fiole verte dont elle versa le contenu dans la bière de Rincevent. Il considéra le mélange avec méfiance.

« Elle dit qu'ch'est une chorte de médechine, fit Cohen. Je la boirais chi j'étais toi, ches gens-là n'appréchient pas qu'on repouche leur hochpitalité.

— Ça ne va pas m'arracher la tête ?

— Elle dit que ch'est important pour toi de la boire.

— Bon, alors si vous êtes sûr qu'il n'y a rien à craindre... Ça ne risque toujours pas de rendre la bière plus mauvaise. »

Il prit une lampée, conscient de tous les regards braqués sur lui.

« Hum, dit-il. En fait, ce n'est pas du tout mau... »

Quelque chose le souleva et le jeta en l'air. Mais, dans un certain sens, il était toujours assis près du feu... Il se voyait, silhouette décroissante dans le cercle de lumière qui rapetissait rapidement. Les silhouettes réduites à la taille de jouets regardaient fixement son corps. Sauf la vieille femme. La tête levée, elle le regardait, lui, et souriait.

Les vieux sorciers de la mer Circulaire ne souriaient pas du tout, eux. Ils avaient conscience de se trouver en présence d'un phénomène parfaitement nouveau et redoutable : un jeune plein d'avidité.

En réalité, aucun d'eux n'avait vraiment de certitude sur l'âge de Trymon, mais ses cheveux rares étaient toujours noirs et sa peau avait un aspect cireux qu'on pouvait prendre, dans une lumière chiche, pour l'éclat de la jeunesse.

Assis à la longue table neuve et brillante de ce qui avait été le bureau de Galder Ciredutemps, les six chefs survivants des Huit Ordres se demandaient ce qu'avait Trymon de si particulier qui leur donnait envie de lui botter le derrière.

Il n'était pas ambitieux ni cruel. La cruauté allait de pair avec la bêtise ; ils savaient tous utiliser la cruauté d'autrui, et ils savaient assurément faire plier des ambitions. On ne restait pas longtemps mage de Huitième Niveau à moins de pratiquer une sorte de judo mental.

Il n'était pas sanguinaire, ni assoiffé de pouvoir, ni spécialement malfaisant. On ne tenait pas nécessairement de tels penchants pour des handicaps chez un sorcier. Les sorciers n'étaient, dans l'ensemble, pas plus malfaisants que, disons, un comité moyen du Rotary Club, et chacun s'était hissé au sommet de sa profession d'élection non pas tant grâce à ses dispositions pour la magie qu'à son assiduité à tirer parti des faiblesses des adversaires.

Il n'était pas particulièrement avisé. Question sagesse, chaque sorcier se trouvait plutôt formidable ; le boulot voulait ça.

Il n'avait même pas de charisme. Ils savaient tous reconnaître le charisme quand ils le voyaient, et Trymon en avait autant qu'un œuf de cane.

C'était ça, en fait...

Il n'était ni bon, ni méchant, ni cruel, ni exceptionnel en aucune manière sauf une : il avait élevé la banalité au rang des beaux-arts et cultivé un esprit aussi lugubre, implacable et logique que les pentes de l'Enfer.

Et le plus curieux, pour tous ces sorciers qui avaient rencontré durant leurs travaux maintes entités cracheuses de feu à ailes de chauve-souris et griffes de tigre dans l'intimité de l'octogramme magique, c'est que jamais encore ils ne s'étaient sentis aussi mal à l'aise qu'à l'instant où, avec dix minutes de retard, Trymon pénétra d'un pas décidé dans la pièce.

« Désolé pour mon retard, messieurs, mentit-il en se frottant vivement les mains. Tant à faire, tant à organiser, je suis sûr que vous savez ce que c'est. »

Les sorciers se lancèrent des regards en coin tandis que Trymon s'asseyait en bout de table et remuait des papiers d'un air affairé.

« Où est passé le fauteuil du vieux Galder, celui avec les bras de lion et les pieds de poulet ? » demanda Jiglad Wert. Il avait disparu, de même que la majeure partie du mobilier habituel, pour être remplacé par des fauteuils de cuir bas qui avaient l'air incroyablement confortables jusqu'à ce qu'on les ait occupés cinq minutes.

« Ce truc-là ? Oh, je l'ai fait brûler, répondit Trymon sans même lever les yeux.

— Brûler ? Mais c'était un fauteuil magique inestimable, un pur...

— Un vieux rossignol, j'en ai peur, dit Trymon qui gratifia l'autre d'un sourire fugitif. Je suis certain que les vrais sorciers n'ont pas besoin de ça. Maintenant, si je puis attirer votre attention sur les affaires courantes...

— C'est quoi, ce papier ? » fit Jiglad Wert, un Poudre-aux-Yeux, qui agita le document qu'on avait laissé devant lui ; et qui l'agitait d'autant plus frénétiquement que son propre fauteuil, dans sa tour encombrée et confortable, était si possible encore plus tarabiscoté que ne l'avait été celui de Galder.

« C'est un ordre du jour, Jiglad, dit Trymon d'un ton patient.

— Et depuis quand le jour nous donne-t-il des ordres ?

— Ce n'est qu'une liste des points dont nous avons à discuter. C'est très simple, je vous demande pardon si vous avez l'impression que...

— On n'en a jamais eu besoin jusqu'ici !

— Moi, je pense que si, c'est seulement que vous n'en avez jamais utilisé », dit Trymon, et la raison résonnait dans sa voix.

Wert hésita. « Bon, très bien, fit-il d'un air renfrogné tout en quêtant un appui autour de la table, mais ça veut dire quoi, ça : — Il approcha le papier tout près de ses yeux. — "Successeur de Greyhald Spold" ? Le poste revient à Rhunlet Vard, non ? Ça fait des années qu'il attend.

— Oui, mais est-il en bonne santé ? dit Trymon.

— Comment ?

— Nous sommes tous conscients, j'en suis sûr, de l'importance d'une direction digne de ce nom, dit Trymon. Vous comprenez, Vard est... ma foi, méritant, bien entendu, à sa manière, mais...

— Ça n'est pas nos affaires, dit un des autres sorciers.

— Non, mais ça pourrait le devenir », répondit Trymon.

Il y eut un silence.

« Se mêler des affaires d'un autre ordre ? fit Wert.

— Évidemment non, fit Trymon. Je suggère simplement que nous pourrions donner... des conseils. Mais nous en discuterons plus tard... »

Les sorciers n'avaient jamais entendu parler de « base politique », sinon Trymon n'aurait jamais pu faire passer ça. Mais pour tout dire, le fait d'aider autrui à gagner le pouvoir, même pour renforcer leur propre position, leur était étranger. En ce qui les concernait, chaque sorcier était seul. Sans compter les entités paranormales hostiles, c'était déjà bien suffisant pour un sorcier ambitieux de combattre ses ennemis au sein de son propre ordre.

« Je crois que nous devrions à présent nous pencher sur le cas de Rincevent, dit Trymon.

— Et de l'étoile, ajouta Wert. Les gens font des réflexions, vous savez.

— Oui, ils disent que c'est à nous de faire quelque chose, dit Lumuel Panter, de l'Ordre de Minuit. Mais quoi ? Je voudrais bien le savoir.

— Oh, ça n'est pas compliqué, répondit Wert. Ils répètent que nous devrions lire l'In-Octavo. C'est ce qu'ils disent toujours. Les récoltes sont mauvaises ? Lisez l'In-Octavo. Les vaches malades ? Lisez l'In-Octavo. Les Sortilèges arrangeront tout ça.

— Il y a peut-être quelque chose là-dedans, dit Trymon. Feu mon... euh... prédécesseur a beaucoup étudié l'In-Octavo.

— Comme nous tous, fit Panter sèchement, mais ça nous avance à quoi ? Il faut que les Huit Sortilèges agissent ensemble. Oh, je suis d'accord, si tout le reste échoue, nous devrons peut être courir le risque, mais il faut énoncer les huit ensemble ou aucun... et l'un d'eux se trouve dans la tête de Rincevent.

— Et on n'arrive pas à mettre la main sur lui, dit Trymon. Car c'est bien le cas, non ? Je suis sûr que nous avons tous essayé, à titre personnel. »

Les sorciers s'entre-regardèrent, embarrassés. Wert finit par dire : « Oui. D'accord. Cartes sur table. On dirait que je suis incapable de le localiser.

— J'ai essayé la boule de cristal, dit un autre. Rien.

— J'ai envoyé des familiers », dit un troisième. Les autres se redressèrent. Si le programme prévoyait de confesser ses échecs, alors ils allaient bien faire comprendre avec quel héroïsme ils avaient échoué.

« C'est tout ? Moi, j'ai envoyé des démons.

— Moi, j'ai regardé dans le Miroir de Surveillance.

— Hier soir, je l'ai cherché dans les Runes de M'haw.

— Sachez que que j'ai essayé à la fois les Runes, le Miroir et les entrailles de manicreach.

— Moi, j'ai parlé aux bêtes des champs et aux oiseaux de l'air.

— Des résultats ?

— Nenni.

— Eh bien, moi, j'ai questionné jusqu'aux os du pays, oui-da, les gros rochers et les montagnes. »

Un silence glacial tomba soudain. Tout le monde considéra le sorcier qui venait de parler. Il s'agissait de Ganmack Arbrallet, des Vénérables Voyants, qui s'agita sur son siège, mal à l'aise.

« C'est ça, à d'autres, fit quelqu'un.

— Je n'ai jamais dit qu'il m'avaient répondu. »

Trymon parcourut la table du regard.

« Moi, j'ai envoyé quelqu'un pour le retrouver », dit-il.

Wert renifla. « Ça n'a pas très bien marché les deux dernières fois, il me semble.

— Parce que nous avons compté sur la magie, et il est clair que Rincevent a réussi je ne sais comment à s'en cacher. Mais il ne peut pas cacher ses traces.

— Vous avez mis un pisteur sur le coup ?

— D'une certaine façon ?

— Un *héros* ? » Wert réussit à charger de sens ce seul mot. Avec la même intonation, dans un autre univers, un Sudiste aurait dit « salaud de Yankee ».

Les sorciers regardèrent Trymon, bouche bée.

« Oui, répondit-il calmement.

— Avec l'autorisation de qui ? » voulut savoir Wert. Trymon dirigea vers lui ses yeux gris.

« Avec la mienne. Je n'en avais pas besoin d'autre.

— C'est... c'est parfaitement irrégulier ! Depuis quand les sorciers ont-ils besoin d'embaucher des héros pour faire leur travail ?

— Depuis que les sorciers s'aperçoivent que leur magie ne marche pas, dit Trymon.

— Une défaillance passagère, rien de plus. »

Trymon haussa les épaules. « Peut-être, dit-il, mais on n'a pas le temps de le vérifier. Prouvez-moi que j'ai tort. Retrouvez Rincevent en interrogeant vos boules de cristal ou en parlant aux oiseaux. Mais pour ma part, je suis censé faire preuve de sagesse. Et l'homme sage agit en fonction des circonstances. »

Il est notoire que sorciers et guerriers ne s'entendent pas. Les premiers tiennent les seconds pour un ramassis d'imbéciles sanguinaires incapables de réfléchir et de mettre un pied devant l'autre en même temps, tandis que les seconds se méfient naturellement d'une assemblée de marmonneurs en robes longues. Ah oui ? font les sorciers. C'est comme ça ? Vous n'avez pas regardé les colliers à clous et les muscles huilés qu'on voit à la Jeunesse Ouvrière Païenne, alors ? A quoi les héros répliquent : elle est bien bonne, entendre ça de la part d'une bande de lavettes qui ne s'approchent pas des femmes, soi-disant — le croiriez-vous ? — parce qu'elles leur pompent leur puissance magique. Parfaitement, répondent les sorciers, et y en a marre de vous et de vos petites bourses de cuir avantageuses. Ah ouais ? font les héros. Alors pourquoi vous...

Et ainsi de suite. Ces querelles durent depuis des siècles et elles ont souvent dégénéré en grandes batailles qui ont rendu de vastes portions de territoire inhabitables à cause des harmoniques magiques.

En fait, le héros qui au même moment galopait vers les Plaines du Vortex ne se mêlait pas de ce genre de disputes, d'abord parce que personne ne les prenait au sérieux mais surtout parce que le héros en question était une héroïne. Rousse.

A ce point d'un récit, on se tourne en général vers le dessinateur de couverture pour lui parler longuement de cuir, de cuissardes et de flamberges au vent.

Des mots tels que « formes pleines », « rondeurs » voire « air polisson » se glissent dans la narration, jusqu'à ce que l'auteur n'ait plus qu'à prendre une douche froide et aller s'allonger.

Ce qui est plutôt ridicule parce qu'une femme qui décide de vivre par l'épée a peu de chances de ressembler à ce que l'acheteur spécialisé admire sur les couvertures du plus osé des catalogues de lingerie.

Bon, d'accord ! Disons que Herrena la Harpie au Henné aurait fait son petit effet après un bon bain, un gros travail de manucure et moulée dans le haut de gamme des rayons cuir de la boutique ARTICLES MARTIAUX ORIENTAUX ET EXOTIQUES de Woo Hun Ling, rue des Héros, mais pour l'heure elle était vêtue d'une fine cotte de mailles, chaussée de bottes souples et armée d'une courte épée.

D'accord, peut-être que les bottes étaient en cuir. Mais pas noires.

Un certain nombre de cavaliers basanés l'accompagnaient. Ils ne tarderont sûrement pas à se faire tuer, alors leur description ne s'impose guère. Il n'y avait rien du tout de polisson chez eux.

Écoutez, ils peuvent porter du cuir si vous y tenez.

Herrena n'en était pas trop satisfaite, mais il n'y avait personne d'autre de disponible à Morpork. Un grand nombre d'habitants quittaient la ville et gagnaient les collines pour fuir la terreur que leur inspirait la nouvelle étoile.

Herrena filait aussi vers les collines, mais pour une autre raison. Du côté Bord et Direct des Plaines se dressaient les Montagnes Osdetroll. Herrena, qui profitait depuis des années de l'égalité unique des chances offerte à toute femme sachant faire chanter l'épée, se fiait à ses instincts.

Ce Rincevent, tel que Trymon l'avait décrit, c'était un rat, et les rats aiment se terrer. N'importe comment, en partant pour les montagnes Herrena s'éloignait de Trymon ; il avait beau être son employeur du moment, elle était bien contente de ne plus le voir. Quelque chose dans ses manières lui donnait des démangeaisons dans les poings.

Rincevent savait qu'il aurait dû paniquer, mais la chose était difficile car — et ça, il l'ignorait — les émotions telles que la panique, la terreur et la colère dépendent toutes de machins qui barbotent dans des glandes, et les glandes de Rincevent se trouvaient encore dans son corps.

Difficile aussi de savoir où était son vrai corps, mais lorsqu'il regarda vers le bas, il vit une fine ligne bleue qui lui sortait de ce qu'il continuait d'appeler, par égard pour sa santé mentale, sa cheville, et disparaissait dans les ténèbres qui l'entouraient ; il semblait raisonnable de penser que son corps se trouvait à l'autre bout.

Ce n'était pas un corps d'une exceptionnelle qualité, il le reconnaissait volontiers, mais il accordait à un ou deux éléments une valeur sentimentale, et il lui apparut soudain que si la petite ligne bleue venait à casser, il devrait passer le reste de sa v... son existence à rôder autour des tables de oui-ja en jouant les tantines défuntes, et autres occupations auxquelles se livrent les âmes perdues pour tuer le temps.

Pareille horreur l'épouvanta tellement qu'il sentit à peine ses pieds toucher le sol. Un sol, en tout cas ; il estima qu'il ne devait sûrement pas s'agir du sol qui, autant qu'il en souvenait, n'était pas noir et ne tournoyait pas aussi bizarrement.

Il jeta un regard circulaire.

Tout autour, des montagnes effilées embrochaient un ciel glacé piqué d'étoiles cruelles, des étoiles qui n'apparaissaient sur aucune carte céleste du multivers. Et au beau milieu luisait un disque rouge malveillant. Rincevent frissonna et détourna le regard. Devant lui, le terrain descendait brusquement, tandis qu'un vent sec chuchotait dans les rochers fendus par le gel.

Il chuchotait vraiment. Alors que des tourbillons gris se prenaient dans sa robe et lui tiraillaient les cheveux, Rincevent crut entendre des voix, faibles et éloignées, dire des phrases du genre : « T'es sûr que c'étaient des champignons comestibles, dans le ragoût ? Je me sens un peu... » « Il y a une très jolie vue si tu te penches par-dessus ce... » « Ne t'inquiète pas, c'est juste une égratignure. » « Fais donc attention où tu pointes cet arc, t'as failli... »

Et ainsi de suite.

Il descendit la pente en trébuchant, les doigts dans les oreilles, jusqu'à ce que s'offre à ses yeux un spectacle que peu de vivants ont l'occasion de contempler.

Le sol plongeait brusquement pour former un vaste entonnoir d'un bon kilomètre et demi de diamètre, dans lequel le vent des âmes des morts soufflait un formidable murmure qui rebondissait en écho, comme si le Disque lui-même respirait. Mais un étroit éperon rocheux s'arquait au-dessus du trou et s'achevait dans un affleurement de peut-être une trentaine de mètres de large.

Il y avait un jardin au bout, avec des vergers et des parterres de fleurs, ainsi qu'un cottage noir aux dimensions modestes.

Un raidillon y conduisait.

Rincevent regarda derrière lui. La ligne bleue brillante était toujours là.

Le Bagage aussi.

Tapi sur le sentier, il l'observait.

Rincevent n'avait jamais fait bon ménage avec le Bagage qui lui donnait toujours l'impression de le désapprouver. Mais pour une fois il ne semblait pas lui en vouloir. Il avait l'air pathétique du chien qui rentre après avoir batifolé dans les bouses de vache et découvre que la famille a déménagé pour le continent voisin.

« D'accord, fit Rincevent. Viens. »

Le Bagage déplia les jambes et gravit le sentier derrière lui.

Le sorcier s'était plus ou moins attendu à trouver le jardin de l'affleurement envahi de fleurs fanées ; en fait les parterres étaient bien entretenus et manifestement plantés par un jardinier qui avait l'œil pour la couleur, tant qu'il s'agissait de violet deuil, de noir tombeau ou de blanc linceul. De gigantesques lis embaumaient l'atmosphère. Un cadran solaire sans gnomon trônait au milieu d'une pelouse frais fauchée.

Le Bagage sur les talons, Rincevent monta un sentier de gravillons de marbre qui le mena derrière le cottage ; il poussa une porte.

Quatre chevaux le regardèrent par-dessus le bord de leurs musettes mangeoires. Ils étaient chauds, vivants, et rarement Rincevent avait rencontré de bêtes aussi bien pansées. L'un d'eux, grand et blanc, avait une stalle pour lui tout seul, et un harnais noir et argent pendait par-dessus la porte. Les trois autres étaient attachés devant un râtelier du mur d'en face, comme si des visiteurs venaient de débarquer. Ils considérèrent Rincevent avec une vague curiosité animale.

Le Bagage lui buta dans la cheville. La sorcier se retourna et cracha : « Dégage ! »

Le Bagage recula. Il avait l'air confus.

Sur la pointe des pieds, Rincevent s'approcha de la porte à l'autre bout et la poussa prudemment. Elle ouvrait sur un corridor dallé qui à son tour donnait sur un grand vestibule.

Il progressa à pas de loup, le dos collé au mur. Derrière lui, le Bagage se dressa sur la pointe des pieds et glissa nerveusement au-dessus du sol.

Pour ce qui était du vestibule...

Disons qu'il avait beau apparaître beaucoup plus grand que tout le cottage vu de l'extérieur, ce n'était pas ça qui inquiétait Rincevent ; de la manière dont les choses tournaient ces temps-ci, il aurait ricané au nez du premier qui aurait prétendu qu'on ne pouvait pas transvaser une bouteille dans une chopine. Ce n'était pas le décor non plus, dans le style Crypte Ancien, qui en rajoutait question tentures noires.

C'était l'horloge. Très grande, elle occupait un espace entre deux escaliers de bois en arcs de cercle couverts de sculptures représentant ce qu'un homme normal ne voit qu'après avoir forcé sur des produits illicites.

Elle avait un balancier très long, un balancier qui allait et venait lentement, dont le tic-tac agaça les dents du sorcier, le genre de tic-tac réfléchi, désagréable, qui tient à bien faire comprendre que chaque tic et chaque tac vous retire une nouvelle seconde de vie. Le genre de petit bruit qui laisse clairement entendre que dans un hypothétique sablier, quelque part, d'autres grains de sable ont cédé sous vos pieds.

Il va sans dire, la lentille du balancier était tranchante, une vraie lame de rasoir.

Quelque chose le heurta dans le creux des reins. Il se retourna, en colère. « Écoute, toi, saloperie de caisse, je t'ai dit... »

Ce n'était pas le Bagage. C'était une jeune femme, aux cheveux argent, aux yeux argent, plutôt déconcertée.

« Oh, fit Rincevent. Euh... hello ?

— Vous êtes vivant ? » dit-elle. Elle avait le type de voix qu'on associe généralement aux parasols de plage, aux huiles solaires et aux long drinks bien frais.

« Ben, j'espère, répondit Rincevent qui se demanda si ses glandes prenaient du bon temps là où elles se trouvaient. Des fois, j'ai des doutes. Où sommes-nous, ici ?

— Chez la Mort, dit-elle.

— Ah », fit Rincevent. Il se passa la langue sur des lèvres sèches. « Bon, eh bien, ravi de vous avoir rencontrée, je crois que je dois y aller... »

Elle frappa des mains. « Oh, il ne faut pas partir ! dit-elle. Ce n'est pas souvent que nous avons des vivants chez nous. Les morts sont si tuants, vous ne croyez pas ?

— Euh... si, approuva Rincevent avec ferveur, l'œil sur la porte. Pas beaucoup de conversation, j'imagine.

— Avec eux, c'est toujours : "Quand je vivais..." et "On savait vraiment respirer de mon temps..." sourit-elle en posant une main blanche et menue sur son bras. Et puis ils sont tellement attachés à leurs petites habitudes. Vraiment pas drôles. Tellement guindés.

— Raides ? » proposa Rincevent. Elle le propulsait vers un passage voûté.

« Absolument. C'est quoi, votre nom ? Moi, c'est Ysabell.

— Euh... Rincevent. Excusez-moi, mais si la Mort habite cette maison, qu'est-ce que vous y faites ? Vous ne m'avez pas l'air morte.

— Oh, je vis ici. » Elle le regarda attentivement. « Dites, vous ne venez pas sauver la petite amie que vous avez perdue, au moins ? Parce que papa, ça l'embête toujours, il dit qu'il est bien content de ne jamais dormir, sinon il se ferait réveiller à tout bout de champ par le défilé des jeunes héros qui descendent ici pour remonter des tas de bécasses, qu'il dit.

— Ça se fait beaucoup, hein ? fit Rincevent d'une voix faible tandis qu'ils longeaient un corridor tendu de noir.

— Tout le temps. Je trouve ça très romantique. Seulement, en repartant, il ne faut surtout pas regarder en arrière.

— Pourquoi donc ? »

Elle haussa les épaules. « Je ne sais pas. Peut-être que la vue est moche. Vous êtes un héros, à propos ?

— Euh... non. Pas vraiment. Pas du tout, en réalité. Encore moins que ça, en fait. Je suis juste venu chercher un ami à moi, dit-il, l'air piteux. Vous ne l'avez pas vu, je suppose ? Un petit gros qui cause beaucoup, qui porte des lunettes et de drôles de vêtements. »

A mesure qu'il parlait, il prit conscience d'avoir peut-être laissé passer un détail vital. Il ferma les yeux et s'efforça de se remémorer les dernières minutes de conversation. Puis ça lui revint, avec la force d'un sac de sable.

« *Papa ?* »

Elle baissa modestement les yeux. « Adoptée, à vrai dire, fit-elle. Il m'a trouvée toute petite, qu'il dit. Une triste histoire. » Son visage s'éclaira. « Mais venez donc le voir... Il reçoit ses amis ce soir, je suis sûre que votre visite lui fera plaisir. Il ne fréquente pas beaucoup de monde. Moi non plus, d'ailleurs, ajouta-t-elle.

— Désolé, fit Rincevent. Mais j'ai bien compris ? Nous parlons de la Mort, c'est ça ? Grand, maigre, les orbites vides, un as de la faux ? »

Elle soupira. « Oui. Les apparences sont contre lui, j'en ai peur. »

Même si Rincevent, comme précédemment mentionné, était à la magie ce que la bicyclette est à un bourdon, il bénéficiait malgré tout d'un privilège accordé aux hommes de l'art : à l'heure du trépas, ce serait la Mort en personne qui viendrait réclamer son dû (au lieu de refiler le boulot à une personnification anthropomorphique et mythologique d'échelon inférieur, comme c'est souvent le cas). Profitant des incompétences de ceux chargés de l'occire, Rincevent s'était ingénié à ne pas mourir à l'heure prévue, et s'il y a une chose dont la Mort a horreur, c'est le manque de ponctualité.

« Écoutez, je pense que mon ami a dû aller se promener quelque part, dit-il. Il fait toujours ça, une manie chez lui, ravi de vous avoir rencontrée, faut que j'y aille... »

Mais elle s'était déjà arrêtée devant une grande porte matelassée de velours violet. On entendait des voix de l'autre côté, des voix effrayantes, le genre de voix que la simple typographie n'arrivera jamais à rendre tant qu'on n'aura pas inventé une linotype pourvue d'une chambre d'écho incorporée et, si possible, d'un œil de caractère ressemblant à l'élocution d'une limace.

Voici ce que disaient les voix :

« ÇA NE TE FERAIT RIEN DE M'EXPLIQUER ÇA ENCORE UNE FOIS ?

— Eh bien, si vous rejouez n'importe quoi sauf un atout, Sud pourra couper deux fois, en ne perdant qu'une tortue, un éléphant et un arcane majeur, ensuite...

— C'est Deuxfleurs ! souffla Rincevent. Je reconnaîtrais cette voix-là n'importe où !

— DOUCEMENT... SUD, C'EST PESTILENCE ?

— *Oh, allons, Mortemar ! Il a déjà expliqué tout ça. Et si Famine avait relancé à... comment, déjà ?... à l'atout ?* » C'était une voix sans attaque, moite, pour ainsi dire contagieuse en elle-même.

« Ah, alors vous ne pourriez couper qu'une tortue au lieu de deux, dit Deuxfleurs avec zèle.

— Mais si Guerre avait décidé de jouer d'abord un atout, alors le contrat aurait chuté de deux ?

— Exactement !

— LÀ, JE N'AI PAS BIEN SUIVI. PARLE MOI ENCORE DES ANNONCES PSYCHIQUES, JE CROIS QUE JE COMMENCE À PIGER. » Celle-là, c'était une voix puissante, caverneuse, comme deux tas de plomb qui s'écrasent l'un contre l'autre.

« Ça, c'est quand vous faites une annonce surtout pour tromper vos adversaires, mais ça risque bien sûr de poser des problèmes à votre partenaire... »

La voix de Deuxfleurs continua de radoter sur le même ton enthousiaste. Rincevent regarda d'un air désemparé Ysabell tandis qu'à travers le velours lui parvenaient les mots « couleur redemandable », « double impasse » et « grand chelem ».

« Vous y comprenez quelque chose ? demanda-t-elle.

— Pas un traître mot, répondit-il.

— Ça paraît affreusement compliqué. »

De l'autre côté de la porte, la voix puissante lança : « T'AS BIEN DIT QUE LES HUMAINS JOUAIENT À ÇA POUR S'AMUSER ?

— Certains sont très forts à ce jeu, oui. Je ne suis qu'un amateur, je le crains.

— MAIS ILS NE VIVENT QUE QUATRE-VINGTS OU QUA-TRE-VINGT-DIX ANS !

— Tu es bien placé pour le savoir, Mortemar, fit une voix que Rincevent n'avait pas encore entendue et ne souhaitait certes pas réentendre, surtout après le crépuscule.

— *Vraiment, c'est tout à fait... fascinant.*

— REDISTRIBUE LES CARTES, ON VA VOIR SI J'AI PIGÉ.

— Vous croyez qu'on doit entrer ? » demanda Ysabell. Une voix derrière la porte fit : « JE DEMANDE... LE VALET DE TRIONYX.

— Non, pardon, je suis sûr que vous vous trompez, voyons voir votre... »

Ysabell poussa la porte.

C'était, en fait, un cabinet de travail plutôt agréable, un peu sombre peut-être, sans doute décoré dans un de ses mauvais jours par un ensemblier affligé d'un mal de tête et de la manie de garnir la moindre surface plane de grands sabliers et d'un lot de grosses bougies jaunes, grasses et extrêmement dégoulinantes dont il cherchait à se débarrasser.

La Mort du Disque était un traditionaliste qui tirait fierté du service qu'il rendait et se laissait bien souvent aller au découragement parce qu'on n'appréciait pas ce service. Il faisait remarquer que personne ne craignait la mort en elle-même, seulement la douleur, la sépara-tion et l'oubli, et qu'il était absurde de s'en prendre à quelqu'un uniquement à cause de ses orbites vides et de son amour sans chichis du travail bien fait. Il se servait toujours d'une faux, faisait-il observer, alors que les Morts d'autres mondes avaient depuis longtemps investi dans des moissonneuses-batteuses.

La Mort occupait un côté d'une table couverte d'un tapis noir au centre de la pièce et discutait avec la Famine, la Guerre et la Pestilence. Deuxfleurs fut le seul à lever les yeux et voir Rincevent.

« Hé, t'es venu comment ? fit-il.

— Ben, il y en a qui prétendent que le Créateur a pris une poignée de... Oh, je vois, eh bien, c'est difficile à expliquer mais je...

— Tu as le Bagage ? »

Le Bagage poussa Rincevent pour aller s'accroupir devant son propriétaire, lequel souleva son couvercle, fourragea à l'intérieur et finit par ramener un petit livre relié cuir qu'il tendit à la Guerre qui martelait la table de son gantelet de fer.

« C'est le Pifinger sur les Règles du Contrat, dit-il. Pas mauvais, comme bouquin, il explique bien la double impasse et comment... »

La Mort happa le livre d'une main osseuse pour le feuilleter, oublieux de la présence des deux hommes.

« D'ACCORD, fit-il. PESTILENCE, SORS UN NOUVEAU JEU DE CARTES. JE VAIS ALLER AU FIN FOND DE CETTE HISTOIRE, MÊME SI JE DOIS EN CREVER. FAÇON DE PARLER, BIEN SÛR. »

Rincevent attrapa Deuxfleurs et le tira hors de la pièce. Alors qu'ils enfilaient le corridor au petit trot, suivis du Bagage au galop, il demanda :

« C'était quoi, ça ?

— Eh bien, ils ont tout leur temps et je me suis dit que ça pourrait leur plaire, haleta Deuxfleurs.

— Quoi donc ? Jouer aux cartes ?

— C'est un jeu particulier, dit Deuxfleurs. Ça s'appelle... » Il hésita. Les langues, ça n'était pas son fort. « Dans ta langue, ça porte le nom d'un truc de dentiste, je crois, conclut-il.

— Extraction ? hasarda Rincevent. Plombage ? Couronne ? Pivot ?

— Oui, peut-être. »

Ils débouchèrent dans le vestibule, où la grande horloge égrenait les secondes de toutes les vies du monde.

« Et combien de temps tu penses que ça va les tenir occupés ? »

Deuxfleurs s'arrêta. « Je ne suis pas sûr, dit-il, songeur. Probablement jusqu'au dernier atout... Quelle horloge incroyable...

— N'essaye pas de l'acheter, conseilla Rincevent. Je ne crois pas qu'on apprécierait par ici.

— C'est où, par ici, exactement ? » demanda Deuxfleurs qui fit signe d'approcher au Bagage et souleva le couvercle.

Rincevent regarda autour de lui. Le vestibule était sombre et désert, ses fenêtres hautes et étroites volutées de glace. Il baissa les yeux. La fine ligne bleue lui sortait toujours de la cheville. Il découvrit que Deuxfleurs en avait une lui aussi.

« Nous sommes comme qui dirait officieusement morts », dit-il. Il n'avait pas trouvé mieux.

« Oh. » Deuxfleurs continuait de farfouiller.

« Ça ne t'inquiète pas ?

— Bah, les choses finissent toujours par s'arranger, tu ne penses pas ? De toute façon, je crois dur comme fer à la réincarnation. Sous quelle forme tu voudrais revenir, toi ?

— Je ne veux pas partir, dit Rincevent avec fermeté. Allez, viens, allons-nous-en d'... Oh, non. Pas ça. »

Le touriste avait sorti une boîte des profondeurs du Bagage. Grosse et noire, elle avait une manette d'un côté, une petite fenêtre ronde par devant et une courroie pour qu'on puisse se la passer autour du cou. Ce que fit Deuxfleurs.

A une certaine époque, Rincevent avait bien aimé l'iconoscope. Contre toute expérience, il tenait le monde pour fondamentalement compréhensible et croyait qu'il lui suffirait de s'équiper de la boîte à outils mentale adéquate pour en dévisser l'arrière et voir comment il fonctionnait. Bien entendu, il se mettait le doigt dans l'œil. L'iconoscope ne prenait pas des images en laissant tomber de la lumière sur un papier spécialement traité, comme il l'avait présumé, mais beaucoup plus simplement en retenant prisonnier un petit démon doué pour la couleur et vif au pinceau. Pareille découverte l'avait rendu malade.

« Tu n'as pas le temps de prendre des images ! souffla-t-il.

— Ça ne sera pas long », fit d'un ton sans réplique Deuxfleurs, qui frappa un petit coup sur le côté de la boîte. Une minuscule porte s'ouvrit à la volée et un diablotin passa la tête.

« Bordel de merde, lâcha-t-il. Où c'est qu'on est ?

— Ça n'a pas d'importance, dit Deuxfleurs. D'abord l'horloge, je crois. »

Le démon loucha.

« Pas bézef de lumière, dit-il. Va me falloir trois putains d'années à f 8, si tu veux mon avis. » Il claqua la porte. Une seconde plus tard parvenait le menu raclement du tabouret qu'il tirait devant son chevalet.

Rincevent grinça des dents.

« Tu n'as pas besoin de prendre des images, suffit de te rappeler ! cria-t-il.

— Ce n'est pas pareil, dit calmement Deuxfleurs.

— C'est mieux ! C'est plus réel !

— Pas vraiment. Dans quelques années, assis près du feu...

— Tu risques d'y rester éternellement, assis près du feu, si on ne part pas d'ici !

— Oh, vous ne partez pas, j'espère. »

Ils se retournèrent tous les deux. Ysabell s'encadrait dans l'entrée du passage voûté, un léger sourire aux lèvres. Elle tenait une faux à la main, une faux à la lame d'un tranchant proverbial. Rincevent s'efforça de ne pas baisser les yeux sur sa ligne de vie bleue ; une fille qui tient une faux ne devrait pas afficher un sourire aussi désagréable, entendu et légèrement détraqué.

« Papa a l'air un peu préoccupé pour l'instant, mais je suis sûre qu'il s'en voudrait de vous laisser partir comme ça, poursuivit-elle. Et puis je n'aurais personne à qui parler.

— Qui c'est, ça ? fit Deuxfleurs.

— Elle vit plus ou moins ici, marmonna Rincevent. Une espèce de fille », ajouta-t-il.

Il agrippa l'épaule de Deuxfleurs et tenta de glisser imperceptiblement vers la porte qui donnait sur le jardin sombre et froid. Sans résultat. Surtout parce que Deuxfleurs n'était pas du genre à s'intéresser aux nuances d'expression d'un visage et qu'il avait pour une quelconque raison la conviction qu'aucun événement fâcheux ne pouvait lui arriver.

« Vraiment charmé, dit-il. Très jolie maison que vous avez là. Intéressant, cet effet baroque avec les os et les crânes. »

Ysabell sourit. Rincevent songea : si jamais la Mort passe la main pour les affaires de famille, elle fera mieux que lui... Elle est frappadingue.

« Oui, mais nous devons partir, dit-il.

— Je ne veux pas en entendre parler, répliqua-t-elle. Vous allez rester et tout me raconter sur vous. Le temps est long et c'est tellement ennuyeux ici. »

Elle se précipita latéralement et abattit la faux vers les fils luisants. La lame hurla dans l'air comme un matou qu'on coupe... et s'arrêta brutalement.

Il y eut un craquement de bois. Le Bagage avait refermé son couvercle sur la lame.

Deuxfleurs leva des yeux étonnés vers Rincevent. Et le sorcier, avec beaucoup d'application et une certaine satisfaction, le frappa d'un poing expert au menton. Puis il rattrapa le petit homme qui tombait à la renverse, se le balança sur l'épaule et cavala.

Les branches le cinglèrent dans le jardin éclairé d'étoiles, et de petites choses velues, probablement horribles, détalèrent à mesure qu'il remontait d'un pas lourd la fine ligne de vie fantomatique qui luisait sur l'herbe gelée.

Du cottage dans son dos parvint un cri perçant de déception et de rage. Il carambola un arbre et repartit à toute vitesse.

Quelque part, il y avait un chemin, il s'en souvenait. Mais dans ce dédale de lumière argentée et d'ombres que baignait maintenant l'éclat rouge de la nouvelle et terrible étoile dont la présence se faisait sentir jusque dans le monde inférieur, rien n'avait l'air normal. En tout cas, la ligne de vie semblait bel et bien aller dans la mauvaise direction.

Il entendit un bruit de pieds derrière lui. Rincevent respirait bruyamment et difficilement ; ce devait être le Bagage, et pour l'instant il préférait l'éviter. Il avait frappé son maître ; le Bagage risquait d'avoir mal compris son geste, et d'ordinaire il mordait les gens qu'il n'aimait pas. Rincevent n'avait jamais eu le courage de demander où ces gens-là se retrouvaient réellement quand le lourd couvercle se refermait sèchement sur eux, mais ils n'étaient incontestablement plus là quand il se rouvrait.

Il n'aurait pas dû s'inquiéter. Le Bagage le dépassa aisément, ses petites jambes gigotant en une masse confuse. Rincevent eut l'impression qu'il se concentrait très fort sur sa course, comme s'il avait une idée de ce qui arrivait derrière et que ça ne lui plaisait pas du tout.

Ne regarde pas en arrière, se rappela-t-il. La vue n'est probablement pas très jolie.

Le Bagage se jeta à travers un fourré et disparut.

Un instant plus tard, Rincevent comprit pourquoi. Le coffre avait basculé par-dessus le bord de l'affleurement et tombait vers le grand trou en dessous, dont il voyait à présent le fond légèrement éclairé de rouge. Deux lignes bleues chatoyantes partaient de Rincevent pour franchir les rochers et s'enfoncer dans le gouffre.

Il s'arrêta, incertain, quoique pas tout à fait car il était absolument sûr de plusieurs choses. Entre autres qu'il ne voulait pas sauter, qu'il tenait encore moins à attendre ce qui pouvait bien arriver dans son dos, que dans le monde des esprits Deuxfleurs pesait drôlement lourd et qu'il y avait pire que d'être mort.

« Quoi, par exemple ? » murmura-t-il, et il sauta.

Quelques secondes plus tard, les cavaliers apparurent et ne ralentirent pas en arrivant au bord du rocher ; ils poursuivirent leur course en l'air et tirèrent sur les rênes de leurs chevaux au-dessus du vide.

La Mort regarda en bas.

« ÇA M'ÉNERVE TOUJOURS, dit-il. AUTANT INSTALLER UNE PORTE À TAMBOUR.

— *Je me demande ce qu'ils voulaient*, fit la Pestilence.

— Aucune idée, dit la Guerre. Jeu intéressant, en tout cas.

— C'est vrai, approuva la Famine. De réflexion, je trouve.

— ON A ENCORE LE TEMPS POUR DES JUPES, dit la Mort.

— Des robs, corrigea la Guerre.

— DÉROBE QUOI ?

— On appelle ça des robs. Un rob, des robs. Ou robres, c'est pareil, expliqua la Guerre.

— C'EST ÇA, DES ROBS », fit la Mort. Il leva la tête vers la nouvelle étoile, intrigué par ce que ça pouvait bien vouloir dire. « JE CROIS QU'ON A LE TEMPS », répéta-t-il, pas très sûr de lui.

Mention a déjà été faite de la tentative d'introduire sur le Disque un semblant d'honnêteté dans les comptes rendus, comment poètes et bardes avaient interdiction, sous peine de... peines, de tartiner sur les ruisseaux babillards et autres aurores aux doigts de rose, et comment il leur fallait fournir les justificatifs certifiés du chantier naval pour dire, par exemple, qu'à cause d'un joli minois un millier de vaisseaux avaient pris la mer.

Aussi, par respect momentané pour cette tradition, il ne sera pas dit de Rincevent et Deuxfleurs qu'ils franchirent les dimensions des ténèbres dans une sinusoïde bleu glacier, ni que leur passage produisit le son d'une monstrueuse défense d'éléphant entrant en vibration, ni que leurs vies défilèrent sous leurs yeux (Rincevent avait pour sa part si souvent vu défiler la sienne qu'il était capable de s'endormir pendant les passages ennuyeux), ni que l'univers leur tomba sur le paletot comme un gros tas de gelée.

Il sera dit, car l'expérience l'a prouvé, qu'il se produisit un bruit de règle en bois violemment frappée par un diapason en do dièse, à moins que ce ne soit en si bémol, et une impression soudaine d'immobilité absolue.

C'était parce qu'ils étaient absolument immobiles et qu'il faisait absolument noir.

L'idée vint à Rincevent que quelque chose avait mal tourné.

Puis il vit le réseau bleu délavé devant lui.

Il était revenu dans l'In-Octavo. Il se demanda ce qui arriverait si quelqu'un ouvrait le livre ; Deuxfleurs et lui apparaîtraient-ils comme une planche de couleurs ?

Probablement pas, se dit-il. L'In-Octavo dans lequel ils se trouvaient n'avait pas grand-chose à voir avec ces livres ordinaires enchaînés à leur pupitre dans les profondeurs de l'Université Invisible, simples représentations tridimensionnelles d'une réalité multidimensionnelle, et...

Doucement, songea-t-il. Je ne pense pas de cette façon-là. Qui donc pense pour moi ?

« Rincevent, fit une voix comme un bruissement de pages ancestrales.

— Qui ça ? Moi ?

— Évidemment, toi, sombre crétin ! »

Une petite lueur de méfiance vacilla très brièvement dans le cœur délabré de Rincevent.

« Avez vous fini par vous rappeler comment a commencé l'univers ? fit-il méchamment. Le Raclement de Gorge, non ? Ou alors l'Inspiration d'Air ? Ou bien le Grattement de Tête et J'essaye De Me Souvenir, Je L'ai Sur Le Bout De La Langue ? »

Une autre voix, sèche comme de l'amadou, siffla : « Tu aurais intérêt, toi, à te rappeler où tu es. » Il est en principe impossible de siffler une phrase sans sifflantes, mais la voix s'y essayait de son mieux.

« Me rappeler où je suis ? Me rappeler où je suis ? brailla Rincevent. Évidemment que je me rappelle où je suis. Je suis à l'intérieur d'un fichu bouquin à discuter avec tout un tas de voix invisibles, pourquoi croyez-vous que je crie ?

— Je pense que tu te poses des questions sur les raisons qui nous ont poussés à te ramener ici, dit une voix près de son oreille.

— Non.

— Non ?

— Qu'est-ce qu'il a dit ? fit une autre voix désincarnée.

— Il a dit non.

— Il a vraiment dit non ?

— Oui.

— Oh.

— Pourquoi ?

— Ce genre de truc, ça m'arrive tout le temps, dit Rincevent. Je passe par-dessus le bord du monde, le coup d'après je me retrouve à l'intérieur d'un livre, puis sur un caillou volant, puis je regarde la Mort apprendre à jouer au plombage ou à la couronne ou je ne sais quoi, alors pourquoi donc je me poserais des questions ?

— Eh bien, à notre avis tu vas te demander pourquoi nous ne voulons pas que quelqu'un nous prononce », fit la première voix, consciente de perdre l'initiative.

Rincevent hésita. La pensée lui avait traversé l'esprit, mais très vite et en regardant nerveusement de chaque côté par peur de se faire renverser.

« Pourquoi quelqu'un aurait-il envie de vous prononcer ?

— C'est à cause de l'étoile, dit le sortilège. L'étoile rouge. Des sorciers sont déjà à ta recherche ; quand ils te trouveront, ils voudront prononcer les Huit Sortilèges ensemble pour changer l'avenir. Ils croient que le Disque va entrer en collision avec l'étoile. »

Rincevent réfléchit. « C'est vrai ?

— Pas exactement, mais dans... C'est quoi, ça ? »

Rincevent baissa les yeux. Le Bagage émergeait à pas feutrés des ténèbres. Un long éclat de lame de faux dépassait de son couvercle.

« C'est juste le Bagage, dit-il.

— Mais nous ne l'avons pas appelé !

— Personne n'a besoin de l'appeler, dit Rincevent. Il débarque comme ça, c'est tout. Ne vous en faites pas pour lui.

— Oh. De quoi parlions-nous ?

— Cette histoire d'étoile rouge.

— C'est ça. Il est très important que tu...

— Ohé ? Ohé ? Y a quelqu'un dehors ? »

C'était une toute petite voix et elle sortait de la boîte à images toujours passée autour du cou inerte de Deux-fleurs.

Le diablotin imagier ouvrit sa trappe et leva la tête pour regarder Rincevent en plissant les yeux.

« On est où, là, patron ? fit-il.

— Je ne suis pas sûr.

— On est toujours morts ?

— Peut-être.

— Eh ben, espérons qu'on va aller quelque part où y aura pas trop besoin de noir parce que j'en ai plus. » La trappe se referma en claquant.

Rincevent eut la vision fugitive de Deuxfleurs qui montrait ses images à la ronde et faisait des commentaires du genre : « Ça, c'est moi aux prises avec un million de démons » et « Ça, c'est moi avec un couple rigolo qu'on a rencontré sur les pentes glacées du Monde Inférieur. » Rincevent n'était pas sûr de ce qui se passait une fois qu'on était vraiment mort, les experts restaient vagues sur la question ; un marin basané de la région du Bord avait déclaré qu'il ne doutait pas d'aller dans un paradis où il y aurait du fromage et des houris. Quoique pas très sûr de ce qu'étaient des houris, Rincevent concevait mal l'agrément d'un paradis où il faudrait défendre sa pitance contre les rongeurs. De toute façon, le fromage lui donnait de l'urticaire.

« Maintenant que cet incident est clos, dit une voix sèche et ferme, nous pouvons peut-être poursuivre. Il est de la plus haute importance que tu ne laisses pas les sorciers te reprendre le sortilège. De terribles événements se produiront si les sortilèges sont prononcés tous les huit trop tôt.

— Je veux seulement qu'on me fiche la paix, dit Rincevent.

— Bien, bien. Nous savions pouvoir compter sur toi dès le jour où tu as ouvert l'In-Octavo. »

Rincevent hésita. « Minute, fit-il. Vous voulez que je cavale pour empêcher les sorciers de rassembler les sortilèges ?

— Exactement.

— C'est pour ça que l'un de vous m'est entré dans la tête ?

— Précisément.

— Vous m'avez gâché la vie, vous savez ça ? fit violemment Rincevent. J'aurais vraiment pu devenir un sorcier si vous n'aviez pas décidé de me transformer en livre de sortilèges ambulant. Je suis incapable de retenir d'autres sortilèges, ils ont trop peur de rester dans la même tête que vous !

— Nous sommes désolés.

— Je veux seulement rentrer chez moi ! Je veux retourner là où... — une trace humide apparut au coin de l'œil de Rincevent — là où on sent des pavés sous ses pieds, où on boit de la bière pas trop mauvaise, où on peut manger un bon morceau de poisson frit le soir, avec peut-être deux ou trois gros cornichons verts, et même de la tarte aux anguilles et un plat de buccins, où on trouve toujours une écurie bien chaude quelque part pour y dormir et on se réveille le matin au même endroit que la veille au soir sans toute cette atmosphère magique autour de soi. Je veux dire, la magie, je m'en fiche, je n'ai probablement pas, et ça vous le savez, la bonne étoffe pour faire un sorcier, je veux seulement rentrer chez moi !...

— Mais il faut que tu... » commença l'un des sortilèges.

Trop tard. Le mal du pays, ce petit élastique dans le subconscient capable de remonter l'énergie d'un saumon pour le propulser à cinq mille kilomètres par-delà des mers étranges, ou de pousser un million de lemmings à courir joyeusement vers une terre ancestrale qui, par suite d'une légère anomalie dans la dérive des continents, ne se trouve plus à la même place, le mal du pays, donc, grandit en Rincevent comme le tarif de nuit d'un biriani aux crevettes, s'écoula le long du fil ténu reliant son âme torturée à son corps, s'ancra les talons et tira...

Les sortilèges étaient seuls dans leur In-Octavo.

Enfin, seuls si l'on excepte le Bagage.

Ils le regardèrent, non pas avec des yeux mais avec une conscience aussi ancienne que le Disque lui-même.

« Et toi aussi, tu peux foutre le camp », dirent-ils.

« ... mauvais. »

Rincevent sut que c'était lui-même qui parlait, il reconnaissait sa voix. Pendant un instant, il regarda par ses yeux d'une manière anormale, comme un espion qui observerait par des trous découpés dans un masque. Puis il fut de retour.

« Cha va, Rinchevent ? demanda Cohen. Tu n'avais pas l'air dans ton achiette, là.

— C'est vrai, vous aviez l'air un peu pâle, renchérit Bethan. Comme si vous aviez vu la mort de près.

— Euh... oui, il y a de ça », dit-il. Il leva les doigts et les compta. Apparemment, le nombre y était.

« Euh... est-ce que j'ai bougé ? fit-il.

— Vous regardiez seulement le feu comme si vous aviez vu un fantôme », répondit Bethan.

Un gémissement se fit entendre derrière eux. Deuxfleurs se redressait sur son séant, la tête dans les mains.

Ses yeux se posèrent sur eux. Ses lèvres s'agitèrent silencieusement. « J'ai fait un rêve vraiment... étrange, dit-il. On est où ? Pourquoi je suis ici ?

— Eh ben, dit Cohen, chertains digent que le Créateur de l'univers a pris une poignée d'argile et...

— Non, je veux dire ici même, fit Deuxfleurs. C'est toi, Rincevent ?

— Oui, répondit Rincevent, au bénéfice du doute.

— Il y avait le... une horloge que... et ces gens qui... » reprit Deuxfleurs. Il secoua la tête. « Pourquoi ça sent le cheval ?

— Tu as été malade, dit Rincevent. Des hallucinations.

— Oui... ça doit être ça. » Deuxfleurs baissa les yeux sur sa poitrine. « Mais alors, pourquoi j'ai... »

Rincevent bondit sur ses pieds.

« Pardon, on est à l'étroit là-dedans, faut que j'aille prendre un peu l'air », dit-il. Il ôta la courroie de la boîte à images du cou de Deuxfleurs et fonça vers le rabat de la tente.

« Je n'avais pas remarqué ça quand il est entré », dit Bethan. Cohen haussa les épaules.

Rincevent parvint à s'éloigner de quelques pas de la yourte avant que le rochet de la boîte à images ne commence à cliqueter. Tout doucement, la boîte expulsa la dernière image qu'avait prise le diablotin.

Rincevent sauta dessus.

Ce qu'elle montrait aurait paru horrible même en plein jour. A la lumière froide des étoiles, rougie des feux du nouvel astre maléfique, c'était bien pire.

« Non, souffla Rincevent. Non, ce n'était pas comme ça, il y avait une maison, la fille et...

— Tu vois ce que tu vois, et je peins ce que moi, je vois, dit le diablotin depuis son écoutille. Ce que je vois, c'est la réalité. J'ai été formé pour ça. Je ne vois que ce qui existe vraiment. »

Une forme sombre s'approcha de Rincevent en faisant craquer la couche de neige. C'était le Bagage. Rincevent, qui d'ordinaire le détestait et s'en méfiait, eut soudain l'impression de voir la chose la plus normale et réconfortante au monde.

« Je constate que tu t'en es sorti, alors », dit Rincevent. Le Bagage agita son couvercle.

« D'accord, mais qu'est-ce que toi, tu as vu ? demanda Rincevent. Tu as regardé en arrière ? »

Le Bagage ne répondit rien. Ils restèrent un moment silencieux, comme deux guerriers qui ont fui le carnage du champ de bataille et s'accordent une pause pour reprendre leur souffle et leurs esprits.

Puis Rincevent proposa : « Viens, il y a du feu à l'intérieur. » Il avança la main pour lui flatter le couvercle. Le Bagage essaya méchamment de le mordre ; il faillit lui attraper les doigts. La vie redevenait normale.

Le lendemain, l'aube se leva, claire, éclatante et froide. Le ciel dévoila son dôme bleu appliqué sur l'étendue blanche du monde et l'effet eût été aussi propre et rafraîchissant qu'une publicité de pâte dentifrice s'il n'y avait eu le point rose à l'horizon.

« Maintenant, on la voit même quand il fait jour, dit Cohen. Ch'est quoi ? »

Il regarda fixement Rincevent qui rougit.

« Pourquoi tout le monde me regarde ? fit-il. Je ne sais pas ce que c'est, peut-être une comète, ou n'importe quoi.

— On va tous mourir brûlés ? dit Bethan.

— Comment je le saurais, moi ? Je n'ai encore jamais reçu de comète sur la figure. »

Ils chevauchaient à la queue leu leu sur le champ de neige étincelant. Le Peuple du Cheval, qui semblait tenir Cohen en haute estime, leur avait donné montures et instructions pour rejoindre le fleuve Smarl, où, d'après l'octogénaire, Rincevent et Deuxfleurs trouveraient un bateau qui les emmènerait jusqu'à la mer Circulaire. Il avait décidé de les accompagner à cause de ses engelures.

Bethan avait aussitôt annoncé qu'elle allait les suivre aussi, au cas où Cohen aurait besoin de se faire frictionner quelque part.

Rincevent sentait confusément qu'une sorte d'alchimie s'opérait. D'abord, Cohen avait fait l'effort de se peigner la barbe.

« Je crois que vous lui faites grosse impression », dit-il. Cohen soupira.

« Chi j'avais vingt ans de moins... répondit-il avec une tristesse rêveuse.

— Oui ?

— J'en aurais choichante-chept.

— Quel rapport ?

— Ben... comment dire ? Quand j'étais jeune, que je me taillais un nom dans le monde, eh ben... j'aimais les femmes rouches et ardentes.

— Ah.

— Et puis j'ai pris de l'âge et ma préférenche est allée vers les blondes à l'œil polichon.

— Oh ? Oui ?

— Mais j'ai encore pris de l'âge et j'ai trouvé que les femmes brunes et pachionnées ne manquaient pas de chel. »

Il marqua un temps. Rincevent attendit.

« Et alors ? fit-il. Ensuite quoi ? Qu'est-ce que vous cherchez dans une femme maintenant ? »

Cohen tourna vers lui un œil bleu unique et chassieux.

« La pachienche, dit-il.

— Je n'arrive pas à le croire ! fit une voix derrière eux. Me voici en compagnie de Cohen le Barbare ! »

C'était Deuxfleurs. Depuis le petit matin il avait tout du singe qui a trouvé la clé de la bananeraie, dès l'instant précis où il avait découvert qu'il respirait le même air que le plus grand héros de tous les temps.

« Est-che qu'il che moquerait, des fois ? fit Cohen à Rincevent.

— Non. Il est tout le temps comme ça. »

Cohen se retourna sur sa selle. Deuxfleurs lui adressa un sourire radieux et agita fièrement la main. Cohen reprit sa position et grogna.

« Il a des jyeux, non ?

— Oui, mais ils ne marchent pas comme ceux de tout le monde. Sans blague. Je veux dire... tenez, vous voyez la yourte du Peuple du Cheval, où on était hier soir ?

— Ouais.

— Vous diriez qu'elle était sombre, crasseuse et qu'elle empestait le canasson, non ?

— Très bonne dechcripchion, d'après moi.

— Lui ne serait pas d'accord. Il dirait que c'était une magnifique tente barbare, tendue des peaux des grands animaux que chassent les guerriers aux yeux étrécis d'une tribu aux confins de la civilisation, et qu'elle sentait les résines rares et étranges pillées aux caravanes qui s'aventurent sur les steppes vierges de toute piste... et j'en passe. Je n'invente rien, ajouta-t-il.

— Ch'est un fou ?

— Un genre de fou. Mais un fou qui a beaucoup d'argent.

— Ah, alors che n'est pas jun fou. J'ai pas mal roulé ma boche ; cheux qui ont beaucoup d'argent, che chont des *jekchentriques*. »

Le héros se retourna une fois encore sur sa selle. Deuxfleurs racontait à Bethan comment Cohen avait vaincu d'une seule main les guerriers serpents du seigneur sorcier de S'belinde et volé le diamant sacré à la statue géante d'Offler le Dieu Crocodile.

Un sourire mystérieux plissa davantage la face ridée de l'octogénaire.

« Je peux lui dire de se taire, si vous voulez, proposa Rincevent.

— Il le ferait ?

— Non, pas vraiment.

— Laiche-le caujer », dit Cohen. Sa main tomba sur la garde de son épée, polie par des décennies d'usage.

« En tout cas, ches jyeux me plaijent bien. Ils jarrivent à voir à chinquante ans de dichtanche. »

A une centaine de mètres derrière, par bonds plutôt maladroits dans la neige molle, suivait le Bagage. Personne ne lui demandait jamais son avis sur rien.

Au soir, ils avaient atteint la limite des hautes plaines et descendaient à travers de sombres pinèdes que la tempête de neige n'avait fait que saupoudrer légèrement. C'était un paysage de gigantesques rochers craquelés et de vallées si étroites que les jours n'y duraient que vingt minutes. Une contrée sauvage, balayée par le vent, du genre où l'on s'attend à tomber sur...

« Des trolls », fit Cohen en reniflant l'air.

Rincevent fouilla des yeux autour de lui dans la lumière rouge du soir. Les rochers qui lui avaient paru parfaitement normaux prenaient soudain des airs tout ce qu'il y avait de vivants. Des zones d'ombre auxquelles il n'aurait accordé qu'un seul regard lui semblaient maintenant horriblement habitées.

« Moi, j'aime bien les trolls, fit Deuxfleurs.

— Non, tu ne les aimes pas, dit Rincevent d'un ton sans réplique. Impossible. Trop gros, pleins de bosses, et ils mangent les gens.

— Ch'est faux, dit Cohen qui se laissa glisser peu élégamment à bas de son cheval et se massa les genoux. Une erreur courante, rien d'autre. Les trolls n'ont jamais mangé perchonne.

— Non ?

— Non, ils recrachent toujours les morcheaux. Les gens, ils ne les digèrent pas, tu comprends ? Le troll moyen, tout che qu'il demande à la vie, ch'est une bonne porchion de granite, avec peut-être une belle tranche de calcaire pour dechert. J'ai entendu dire que ch'est parche qu'ils chont en chiliche... ou en chilichiure... » Cohen marqua une pause, se caressa la barbe. « En caillou, quoi. »

Rincevent opina. Les trolls n'étaient pas inconnus à Ankh-Morpork, évidemment, où ils trouvaient souvent des emplois de gardes du corps. Il avaient tendance à revenir cher tant qu'ils n'avaient pas appris à reconnaître une porte et à ne plus sortir des maisons en déambulant au petit bonheur à travers le premier mur venu.

Tandis qu'ils ramassaient du bois pour le feu, Cohen reprit : « Des dents de trolls, cha, ch'est du cochtaud.

— Pourquoi donc ? fit Bethan.

— Ch'est des diamants. Forchément, tu comprends. Y a que cha pour réjichter aux cailloux, et il leur en pouche quand même une nouvelle chérie tous les jans.

— A propos de dents... commença Deuxfleurs.

— Oui ?

— Je n'ai pas pu faire autrement que remarquer...

— Oui ?

— Oh, rien, fit Deuxfleurs.

— Oui ? Ah. Allumons che feu avant qu'on n'ait plus de lumière. Et après... — Cohen fit grise mine — ... j'imagine qu'il va falloir faire de la choupe.

— Rincevent sait bien la faire, dit Deuxfleurs, enthousiaste. Il s'y connaît en herbes, racines et tout ça. »

Le regard de Cohen en direction de Rincevent disait que lui, Cohen, n'en croyait rien.

« Bon, le Peuple du Cheval nous ja donné de la viande de cheval chéchée, dit-il. Chi tu pouvais nous trouver des joignons chauvages et des jherbes, cha aurait meilleur goût.

— Mais je... » commença Rincevent sans terminer sa phrase. De toute façon, songea-t-il, je sais à quoi ressemble un oignon, c'est une espèce de truc blanc et renflé avec un bout vert qui dépasse au-dessus, ça doit être facile à repérer.

« Je vais jeter un coup d'œil, alors ? fit-il.

— Oui.

— Là-bas, dans le sous-bois touffu et sombre ?

— Un très bon coin, chûrement.

— Au milieu de toutes ces ravines et de ces machins profonds, vous voulez dire ?

— L'emplacement idéal, à mon avis.

— Oui, c'est ce que je pensais », fit Rincevent avec aigreur. Il se mit en route en se demandant comment on attirait les oignons. Après tout, se dit-il, ce n'est pas parce qu'on les voit pendus en chapelets aux étals des marchés qu'ils poussent comme ça, peut-être que les paysans ou je ne sais qui se servent de chiens oignoniers, ou qu'ils chantent des chansons pour les attirer.

Les premières étoiles s'étaient levées lorsqu'il se mit à fureter au hasard dans les feuilles et dans l'herbe. Des champignons vénéneux lumineux, désagréablement organiques et à l'allure de conseillères conjugales pour gnomes, giclaient sous ses pieds. De petits bitonios volants le piquaient. D'autres, heureusement invisibles, se défilaient d'un bond ou d'un glissement sous les buissons d'où ils lui lançaient des coassements réprobateurs.

« Oignons ? chuchota Rincevent. Où êtes-vous, les oignons ?

— Il y en a un carré à côté du vieil if, fit une voix près de lui.

— Ah, dit le sorcier. Bien. »

Un long silence suivit, seulement troublé par le bourdonnement des moustiques aux oreilles de Rincevent.

Il restait debout, parfaitement immobile. Il n'avait même pas bougé les yeux.

Il finit par dire : « Excusez-moi.

— Oui ?

— Lequel c'est, l'if ?

— Le petit tordu qui a des aiguilles vert foncé.

— Oh, oui. Je le vois. Encore merci. »

Il resta immobile. A la longue, la voix demanda, sur le ton de la conversation : « Je peux faire autre chose pour vous ?

— Vous n'êtes pas un arbre, hein ? fit Rincevent, le regard toujours fixé droit devant lui.

— Ne soyez pas ridicule. Les arbres ne parlent pas.

— Pardon. Mais j'ai eu quelques problèmes avec des arbres ces derniers temps, vous savez ce que c'est.

— Pas vraiment. Je suis un rocher. »

La voix de Rincevent s'altéra à peine.

« Bien, bien, dit-il lentement. Bon, je vais aller chercher ces oignons, alors.

— Bon appétit. »

Il marcha devant lui d'un pas prudent et digne, repéra une touffe de choses blanches fibreuses blotties dans le sous-bois, les déterra avec précaution et se retourna.

Il y avait un rocher un peu plus loin. Mais les rochers étaient légion dans ces parages où les os du Disque affleuraient le sol.

Il observa attentivement l'if, pour savoir si c'était lui qui avait parlé. Mais l'if, plutôt solitaire, n'avait jamais entendu le nom de Rincevent le sauveur arboricole, et de toute façon il dormait.

« Si c'est toi, Deuxfleurs, je t'ai reconnu tout de suite », dit Rincevent. Sa voix lui parut soudain claire et très isolée dans le jour finissant.

Rincevent se rappela le seul détail qu'il connaissait avec certitude sur les trolls : exposés à la lumière solaire, ils se pétrifiaient, si bien que ceux qui les employaient à des taches diurnes dépensaient des fortunes en crèmes protectrices.

Mais maintenant qu'il y pensait, nulle part on ne disait ce qui leur arrivait une fois le soleil recouché...

La dernière trace de jour s'effaça du paysage. On aurait dit soudain qu'il y avait beaucoup de rochers dans le secteur.

« Il en met du temps avec ses oignons, fit Deuxfleurs. Vous ne croyez pas qu'on devrait aller voir ?

— Les chorchiers chavent che débrouiller tout cheuls, dit Cohen. Ne te tracache pas. » Il tressaillit. Bethan lui coupait les ongles de pieds.

« A vrai dire, il n'est pas terrible comme sorcier, reprit Deuxfleurs qui se rapprocha du feu. Je ne dirais pas ça devant lui, mais... — il se pencha vers Cohen — ... je ne l'ai jamais vraiment vu faire de la magie.

— Ça va ; à l'autre, dit Bethan.

— Ch'est bien aimable à toi.

— Vous auriez de très jolis pieds si vous en preniez soin.

— J'arrive plus à me courber comme avant, dit Cohen, l'air penaud. Et des pédicures, j'en rencontre pas chouvent dans ma profechion. Marrant, cha. J'ai croijé je ne chais combien de prêtres-cherpents, de dieux fous, de cheigneurs de guerre, mais jamais de

134

pédicures. Je chuppoje que cha ferait mauvais jeffet :
"Cohen aux mains des pédicures"...

— Ou "Cohen et les chiropracteurs de la mort" »,
suggéra Bethan. Cohen gloussa.

« Ou "Cohen contre les dentistes maudits" », lâcha
Deuxfleurs entre deux rires.

La bouche de Cohen se referma dans un claquement.

« Et tu trouves cha drôle ? demanda-t-il d'une voix
dure.

— Oh... euh... ben... fit Deuxfleurs. C'est vos dents,
vous voyez...

— Qu'est-che qu'elles jont, mes dents ? » le coupa
Cohen.

Deuxfleurs déglutit. « J'ai cru remarquer qu'elles...
euh... n'occupent pas la même position géographique
que votre bouche. »

Cohen le foudroya du regard. Puis il s'affaissa et
parut tout petit et très vieux.

« Ch'est vrai, bien chûr, murmura-t-il. Je ne t'en veux
pas. Ch'est dur d'être un héros chans dents. Tu peux
perdre n'importe quoi d'autre, ch'est pas grave, même
chi tu n'as qu'un œil tu t'en chors, mais chuffit que
t'egjibes une bouche pleine de genchives pour que plus
perchonne te rechpecte.

— Moi, si, fit la dévouée Bethan.

— Pourquoi vous n'en avez pas d'autres ?

— Oui, ben, chi j'étais un requin ou autre choje,
d'accord, je m'en laicherais poucher de nouvelles,
répondit Cohen, sarcastique.

— Oh non, ça s'achète, dit Deuxfleurs. Tenez, je
vais vous montrer... euh... Bethan, ça ne vous ferait rien
de regarder de l'autre côté ? » Il attendit qu'elle se soit
retournée puis porta la main à sa bouche.

« Qu'est-che que vous jen dites ? » fit-il.

Bethan entendit Cohen avaler de travers.

« Tu peux chortir les tiennes comme cha ?

— Egjactement. J'en ai plujieurs jeux. Ekchcujez-moi... » Il y eut un bruit de succion, puis d'une voix plus normale Deuxfleurs poursuivit : « C'est très pratique, évidemment. »

La voix de Cohen exprimait le respect et la crainte, du moins dans la mesure où le permettait sa bouche édentée, c'est-à-dire autant qu'une bouche dentée mais avec un rendu beaucoup moins impressionnant.

« Cha ne m'étonne pas, dit-il. Quand elles te font mal, tu les jenlèves et tu les laiches che dépatouiller entre elles, hein ? Cha leur apprend, à ches chaletés, che que ch'est que de chouffrir toutes cheules !

— Ce n'est pas tout à fait ça, dit prudemment Deuxfleurs. Ce ne sont pas les miennes, elles *m'appartiennent*, c'est tout.

— Tu t'es mis les dents d'un autre dans la bouche ?

— Non, on me les a faites ; des tas de gens en portent, là d'où je viens, c'est un... »

Mais l'exposé de Deuxfleurs sur les appareils dentaires tourna court car il reçut un coup sur la tête.

La petite lune du Disque effectuait sa traversée laborieuse du ciel. Elle brillait de sa lumière propre, suite aux aménagements astronomiques étriqués et plutôt inefficaces auxquels avait procédé le Créateur, et abritait une foule de déesses lunaires diverses qui, à cet instant précis, n'accordaient guère d'attention à ce qui se passait sur le Disque mais organisaient une pétition contre les Géants des Glaces.

Si elles avaient regardé vers le sol, elles auraient vu Rincevent s'adresser de manière pressante à une bande de rochers.

La race troll est l'une des formes de vie les plus anciennes du multivers. Elle date des premières tentatives de mettre en branle un système vivant qui ne devrait rien à tout ce protoplasme mollasse. Les individus trolls ont une très longue existence ; ils hibernent l'été et dorment le jour car la chaleur les affecte et ralentit leurs fonctions. Ils ont une géologie fascinante. On pourrait parler de tribologie, mentionner les effets semi-conducteurs du silicium impur, ou encore évoquer les trolls géants de la préhistoire qui constituent la majeure partie des principales chaînes montagneuses du Disque et poseront de vrais problèmes s'il leur prend de se réveiller, mais une chose est sûre : sans le champ magique puissant et pénétrant du Disque, il y a belle lurette que les trolls se seraient éteints.

On n'avait pas inventé la psychiatrie sur le Disque. Personne n'avait encore fourré de tache d'encre sous le nez de Rincevent pour voir s'il avait une araignée au plafond. La seule manière pour lui de décrire la métamorphose des rochers redevenant trolls aurait été de bredouiller de vagues comparaisons avec les images qui se forment soudain quand on fixe le feu ou les nuages.

Jusqu'alors les rochers lui avaient paru parfaitement ordinaires, et quelques lézardes avaient brusquement pris l'apparence précise de bouches ou d'oreilles en pointes. L'instant suivant, et sans que rien n'ait réellement changé, des trolls se tenaient assis devant le sorcier et lui souriaient d'une bouche toute endiamantée.

Ils n'arriveraient pas à me digérer, se dit-il. Je les rendrais affreusement malades.

Ce n'était qu'un maigre réconfort.

« Comme ça, c'est toi Rincevent le sorcier », constata le plus proche. On aurait dit une galopade sur du gravier. « J'sais pas, mais je t'aurais cru plus grand.

— Peut-être qu'il s'est un peu érodé, dit un autre. La légende est drôlement vieille. »

Rincevent se tortilla d'un air gêné. Il était à peu près sûr que le rocher sur lequel il était assis se transformait, tandis qu'un tout petit troll — guère plus gros qu'un caillou — avait familièrement pris place sur son pied et l'observait avec un extrême intérêt.

« La légende ? dit-il. Quelle légende ?

— On se l'est transmise de montagne à gravier depuis le crépuscule des temps [1], dit le premier troll. "Lorsque l'étoile rouge embrasera le ciel, Rincevent le sorcier viendra chercher des oignons. Ne le mordez pas. Il est très important de l'aider à rester en vie." »

Il y eut une pause.

« C'est tout ? dit Rincevent.

— Oui, dit le troll. Ça nous a toujours étonnés. La plupart de nos légendes sont autrement captivantes. C'était plus marrant d'être un rocher, dans le temps.

— Ah bon ? fit Rincevent d'une voix faible.

— Oh, oui. Une perpétuelle rigolade. Des volcans partout. Ça voulait vraiment dire quelque chose d'être un rocher à l'époque. Toutes ces absurdités sédimentaires n'existaient pas, on était ignés ou rien. Évidemment, tout ça, c'est du passé. Des tas de gens se prétendent trolls de nos jours, et des fois ils ne valent guère mieux que de l'ardoise. Ou même de la craie. J'éviterais de me donner de grands airs si on se servait de moi pour gribouiller, pas toi ?

— Si, s'empressa de répondre Rincevent. Absolument, oui. Cette... euh... légende, là... elle dit que vous ne devez pas me mordre ?

— Parfaitement ! dit le petit troll sur son pied, et c'est moi qui t'ai dit où trouver les oignons !

— On est bien contents que tu sois venu, dit le premier troll, le plus grand du coin, ne put s'empêcher de remarquer Rincevent. Cette nouvelle étoile nous inquiète un peu. Elle rime à quoi ?

— Je n'en sais rien, dit Rincevent. Tout le monde a l'air de croire que je suis au courant, mais je ne...

— Ce n'est pas de fondre qui nous gênerait, dit le grand troll. C'est comme ça que tout a commencé,

---

1. Une intéressante métaphore. Pour les trolls nocturnes, bien sûr, l'aube des temps appartient au futur.

n'importe comment. Mais on s'est dit que ce serait peut-être la fin de tout, et ça ne semble pas une très bonne chose.

— Elle grossit, dit un autre troll. Regarde-la. Elle est plus grosse que la nuit dernière. »

Rincevent regarda. Elle était bel et bien plus grosse que la nuit précédente.

« Alors on s'est dit que tu avais peut-être des suggestions ? fit le chef des trolls, aussi humblement que le permet une voix ressemblant à un gargarisme granitique.

— Vous pourriez sauter par-dessus le Rebord, dit Rincevent. Il y a sûrement des tas de coins dans l'univers qui auraient besoin de quelques rochers de plus.

— On a déjà entendu ça, fit le troll. On a parlé à des collègues qui avaient essayé. Ils disent qu'on flotte pendant des millions d'années, puis qu'on chauffe, qu'on se consume et qu'on finit au fond d'un grand trou dans le décor. Guère brillant. »

Il se redressa dans un bruit de boulets de charbon dévalant une glissière puis étira ses bras épais et noueux.

« Bon, on a pour tâche de t'aider, dit-il. Tu veux qu'on te fasse quelque chose ?

— J'étais censé préparer la soupe », dit Rincevent. Il agita vaguement les oignons. Ce n'était probablement pas le geste le plus héroïque ni résolu qu'on ait jamais effectué.

« De la soupe ? dit le troll. C'est tout ?

— Eh ben, peut-être aussi quelques biscuits. »

Les trolls s'entre-regardèrent en exhibant assez de joaillerie buccale pour acheter une ville de province.

Le plus grand finit par dire : « Alors allons-y pour de la soupe. » Il crissa des épaules. « C'est seulement qu'on voyait la légende... disons, un peu plus... je ne sais pas, j'avais plus ou moins cru... bah, j'imagine que ça n'a pas d'importance. » Il tendit une main comme un régime de bananes fossiles. « Je m'appelle Kwartz. Là-bas, c'est Krysoprase, puis Brèche, Jaspe et ma femme Beryl... Elle est un peu métamorphique, mais qui ne l'est pas de nos jours ? Jaspe, descends de son pied ! »

Rincevent saisit la main avec précaution et se raidit dans l'attente d'un craquement d'os broyés. Il ne vint pas. La main du troll était rêche et un peu lichénique autour des ongles.

« Excusez-moi, fit Rincevent. Je n'avais encore jamais vraiment rencontré de trolls.

— Notre race est en voie de disparition, dit tristement Kwartz alors que le groupe se mettait en route à la lumière des étoiles. Le petit Jaspe est le seul caillou de la tribu. On souffre de philosophie, vois-tu.

— Ah bon ? » fit Rincevent qui s'efforçait de ne pas se laisser distancer. La bande de trolls se déplaçait très vite mais sans bruit, grandes formes rondes qui traversaient la nuit tels des spectres. Seul le *couic* écrabouillé d'une créature nocturne qui ne les avait pas entendus venir signalait de temps en temps leur passage.

« Oh, oui. On est victimes de ça. On finit tous par y passer. Un soir, paraît-il, on se réveille en se demandant : "Pourquoi s'en faire ?"et on arrête de s'en faire. Tu vois ces gros rochers là-bas ? »

Rincevent vit de grosses masses posées dans l'herbe.

« Celui au bout, c'est ma tante. Je ne sais pas à quoi elle réfléchit, mais elle n'a pas bougé depuis deux cents ans.

— Ben mince, je suis désolé.

— Oh, ce n'est pas un problème puisqu'on est là pour veiller sur eux, dit Kwartz. Pas beaucoup d'humains dans le coin, tu vois. Je sais que ce n'est pas de votre faute, mais vous n'avez pas l'air capables de voir la différence entre un troll doué de raison et un vulgaire rocher. Mon grand-oncle s'est fait carrément tailler, tu sais.

— C'est terrible !

— Oui, en un rien de temps il est passé de l'état de troll à celui de cheminée d'agrément. »

Ils s'arrêtèrent devant une paroi à l'air familier. Les restes piétinés d'un feu couvaient dans l'obscurité.

« On dirait qu'il y a eu une bagarre, fit observer Beryl.

— Ils sont tous partis ! » s'écria Rincevent. Il courut à l'autre bout de la clairière. « Les chevaux aussi ! Même le Bagage !

— L'un d'eux a une fuite, dit Kwartz en s'agenouillant. Ce liquide rouge que vous avez à l'intérieur. Regarde.

— Du sang !

— C'est comme ça que ça s'appelle ? Je n'ai jamais vraiment compris à quoi ça servait. »

Rincevent, aux cent coups, courait en tous sens, regardait derrière les buissons au cas où quelqu'un s'y serait caché. C'est ainsi qu'il trébucha sur une petite bouteille verte.

« Le liniment de Cohen ! gémit-il. Il ne s'en sépare jamais !

— Dis, reprit Kwartz, il y a un truc que vous faites, vous les humains, je veux dire, comme nous quand on se ralentit et qu'on attrape la philosophie, mais vous, vous tombez en morceaux...

— Mourir, ça s'appelle ! glapit Rincevent.

— C'est ça. Ils ne sont pas morts, parce qu'ils ne sont pas ici.

— Sauf s'ils ont été mangés ! suggéra Jaspe, tout excité.

— Hum, fit Kwartz.

— Des loups ? fit Rincevent.

— On a écrabouillé tous les loups du coin il y a des années, dit le troll. Enfin, Vieux Pépé les a écrasés.

— Il ne les aimait pas ?

« — Ce n'est pas ça, il ne regardait pas où il allait, voilà tout. Hum... » Le troll étudia de nouveau le sol.

« Des traces, dit-il. Beaucoup de chevaux. » Il leva les yeux vers les collines voisines dont les escarpements à pic et les surplombs périlleux dominaient les forêts au clair de lune.

« Vieux Pépé vit là-haut », dit-il tranquillement.

A sa façon d'annoncer ça, Rincevent se dit qu'il ne chercherait jamais à rencontrer Vieux Pépé.

« Il est dangereux, hein ? hasarda-t-il.

— Il est très vieux, très gros et très méchant. Ça fait des années qu'on ne l'a pas vu, dit Kwartz.

— Des siècles, le corrigea Beryl.

— Il va tous les écrabouiller ! ajouta Jaspe qui faisait des bonds sur les orteils de Rincevent.

— Des fois, il arrive qu'un troll vraiment vieux et gros s'en aille tout seul dans les collines, et... euh... le rocher prend le dessus, si tu me comprends.

— Ah bon ? »

Kwartz soupira. « Les gens se comportent parfois comme des animaux, non ? Alors de temps en temps un troll se met à penser comme un rocher, et les rochers n'aiment pas trop les gens. »

Brèche, un troll maigriot et poli comme du grès, donna un petit coup sur l'épaule de Kwartz.

« On va les suivre, alors ? fit-il. La légende dit qu'on doit aider ce Rincevent tout mou. »

Kwartz se redressa, réfléchit un instant, puis attrapa le sorcier par la peau du cou et, d'un grand mouvement rocailleux, se le plaça sur les épaules.

« On y va, dit-il avec fermeté. Si on rencontre Vieux Pépé, j'essayerai d'expliquer... »

A trois kilomètres de là, une file de chevaux trottaient dans la nuit. Trois d'entre eux portaient des prisonniers, expertement liés et bâillonnés. Un quatrième tirait un travois rudimentaire sur lequel gisait le Bagage, ligoté, recouvert d'un filet et silencieux.

A voix basse, Herrena ordonna à la colonne de faire halte avant d'appeler un de ses hommes du geste.

« Tu es bien sûr ? fit-elle. Je n'entends rien.

— J'ai vu des formes de trolls », dit-il tout net.

Elle regarda autour d'elle. Les arbres se clairsemaient par ici, il y avait beaucoup d'éboulis, et en avant d'eux la piste menait à une colline rocheuse et dégarnie qui avait une allure particulièrement déplaisante à la lumière rouge de la nouvelle étoile.

Cette piste ne lui disait rien qui vaille. Elle était très ancienne, mais quelque chose l'avait tracée, et les trolls étaient durs à tuer.

Elle soupira. Il lui semblait soudain que cette carrière de secrétaire qu'elle avait refusée n'aurait peut-être pas été un si mauvais choix, tout compte fait.

Pour la énième fois, elle se dit que l'état de fine lame présentait beaucoup d'inconvénients ; et ce n'était pas le moindre que les hommes refusent de vous prendre au sérieux jusqu'à ce que vous les ayez proprement embrochés, auquel cas ça n'avait plus guère d'importance. Ensuite il y avait tout ce cuir qui lui provoquait des éruptions, mais la tradition avait la vie dure. Et puis il y avait la bière. C'était bon pour des Hrun le Barbare ou des Cimbar l'Assassin de faire ribote toute la nuit dans des bouis-bouis, mais Herrena s'y refusait tant qu'on n'y servait pas de boissons correctes dans de petits verres, de préférence avec une cerise en prime. Quant aux toilettes...

Elle était trop grande pour faire une voleuse, trop honnête pour faire une criminelle, trop intelligente pour faire une épouse et trop fière pour embrasser la seule autre profession féminine généralement offerte.

Elle était donc devenue femme d'épée, de première force d'ailleurs, et avait amassé un petit pécule qu'elle gérait soigneusement pour un avenir encore mal défini dans sa tête mais dont elle pouvait déjà dire qu'il lui apporterait un bidet.

Il y eut au loin des craquements de bois. Les trolls n'avaient jamais vu l'utilité de contourner les arbres.

Elle leva une fois encore la tête vers la colline. Deux bras de terre près du sommet s'étendaient à droite et à gauche, surmontés d'un gros affleurement — elle plissa les yeux — percé de grottes, non ?

Des grottes de trolls. Mais ça valait peut-être mieux que de tourner en rond à l'aveuglette toute la nuit. Et au lever du soleil, il n'y aurait pas de problème.

Elle se pencha vers Gancia, qui commandait la bande de mercenaires de Morpork. Elle n'était pas très satisfaite de son second. C'est vrai qu'il avait les muscles et la résistance d'un bœuf, l'ennui c'est qu'il semblait aussi en avoir le cerveau. Et le vice du furet. Comme la plupart des gars du centre de Morpork il aurait allégrement vendu sa grand-mère pour de la colle, et il l'avait probablement déjà fait.

« On va jusqu'aux grottes, on allumera un grand feu à l'entrée, dit-elle. Les trolls n'aiment pas le feu. »

Il lui lança un regard éloquent ; apparemment il avait sa propre idée sur qui aurait dû donner les ordres. Mais ses lèvres dirent : « C'est vous le patron.

— Tout juste. »

Herrena se retourna vers les trois prisonniers. C'était bien le coffre, pas de doute. Trymon en avait fait une description absolument exacte. Mais aucun des deux hommes ne ressemblait à un sorcier. Même pas à un sorcier recalé.

« Oh là là », fit Kwartz.

Les trolls s'arrêtèrent. La nuit descendait, veloutée. Une chouette hulula, lugubre... Du moins, Rincevent pensa qu'il s'agissait d'une chouette, ses notions en ornithologie restaient un peu vagues. C'était peut-être le rossignol qui hululait, ou alors la grive. Une chauve-souris voltigea au-dessus de sa tête. De ça il était à peu près sûr.

Il était aussi très fatigué et passablement meurtri.

« Pourquoi "oh là là" ? » demanda-t-il.

Il fouilla des yeux l'obscurité. Il y avait un petit point au loin dans les collines qui pouvait être un feu.

« Oh, dit-il. Vous n'aimez pas les feux, hein ? »

Kwartz fit oui de la tête. « Ça nous détruit la supra-conductivité du cerveau, dit-il, mais un feu aussi petit n'aurait pas beaucoup d'effet sur Vieux Pépé. »

Rincevent regarda prudemment autour de lui, à l'écoute d'un troll solitaire. Il avait vu ce que des trolls ordinaires faisaient à une forêt. Ils n'étaient pas destructeurs par nature, ils considéraient tout bonnement les matières organiques comme une sorte de brouillard gênant.

« Espérons qu'il ne le trouve pas, alors », dit-il avec ferveur.

Kwartz soupira. « Faut pas trop compter là-dessus. C'est dans sa bouche qu'ils l'ont allumé. »

« Cha m'apprendra ! » gémit Cohen. Il tira vainement sur ses liens.

Deuxfleurs le fixa d'un œil vitreux. La fronde de Gancia lui avait laissé une belle bosse à l'arrière du crâne et il n'était plus très sûr de rien, à commencer par son nom et ainsi de suite.

« J'aurais dû rechter aux jaguets, reprit Cohen. J'aurais dû faire attenchion et ne pas me laicher dichtraire par toute chette dichcuchion chur tes machins, là, tes *dents chiées*. Je me ramollis. »

Il se redressa sur les coudes. Herrena et le reste de la bande se tenaient debout autour du feu à l'entrée de la grotte. Dans un coin, le Bagage était immobile et silencieux sous son filet.

« Il y a quelque chose de drôle dans cette grotte, dit Bethan.

— Quoi donc ? fit Cohen.

— Là, regardez. Vous en avez déjà vu, des rochers comme ça ? »

Cohen dut admettre que le demi-cercle de pierres à l'entrée de la caverne était inhabituel. Chacune était plus grande qu'un homme, très usée et bizarrement luisante. Il y avait le même demi-cercle au plafond. L'ensemble donnait l'impression d'un ordinateur de pierre conçu par un druide qui n'aurait eu qu'une vague notion de la géométrie et aucun sens de la gravité.

« Regardez aussi les parois. »

Cohen étudia du coin de l'œil la paroi près de lui. Des veines de cristal rouge la parcouraient. Il n'en était pas certain, mais il lui semblait voir des petits points lumineux clignoter en permanence au cœur de la roche.

Il y avait aussi beaucoup de courants d'air. Un vent constant sortait des profondeurs obscures de la grotte. « Je suis sûre que ça soufflait dans l'autre sens quand on est arrivés, chuchota Bethan. Vous n'avez pas l'impression, Deuxfleurs ?

— Ma foi, je ne suis pas un spécialiste des grottes, dit-il, mais j'étais en train de penser : c'est une très intéressante stala-chose qui pend au plafond, là-haut. Une sorte de bulbe, non ? »

Ils la regardèrent.

« Je ne saurais dire pourquoi, reprit Deuxfleurs, mais je crois que ce serait peut-être une bonne idée de sortir d'ici.

— Oh oui, fit Cohen avec ironie, je chuppoje qu'il chuffit de demander à ches gens de nous détacher et de nous laicher partir, hein ? »

Cohen n'avait pas passé beaucoup de temps en compagnie de Deuxfleurs, sinon il n'aurait pas été surpris lorsque le petit homme hocha la tête d'un air radieux et lança, de la voix forte et posée qu'il employait pour pallier sa méconnaissance des langues : « Excusez-moi ! Pourriez-vous, s'il vous plaît, nous détacher et nous laisser partir ? Il y a beaucoup d'humidité et de courants d'air ici. Désolé. »

Bethan jeta un regard de côté à Cohen.

« C'est ça qu'il devait dire ?

— Ch'est nouveau, je t'achure. »

Trois de leurs ravisseurs abandonnèrent le groupe autour du feu pour se diriger vers eux. Ils n'avaient pas l'air de vouloir détacher qui que ce soit. Les deux hommes, à vrai dire, étaient du genre, quand ils tombaient sur des prisonniers ligotés, à jouer avec leurs couteaux, à faire des suggestions salaces et à lancer des regards mauvais dans tous les coins.

Herrena se présenta en dégainant son épée qu'elle pointa sur le cœur de Deuxfleurs.

« Lequel de vous est Rincevent le sorcier ? demanda-t-elle. Il y avait quatre chevaux. Il est ici ?

— Euh... je ne sais pas où il est, répondit Deuxfleurs. Il cherchait des oignons.

— Alors vous êtes ses amis et il va venir à votre recherche », dit Herrena. Elle jeta un regard à Cohen et Bethan puis étudia de près le Bagage.

Trymon avait bien insisté qu'ils ne devaient pas toucher au Bagage. La curiosité avait peut-être tué le chat trop indiscret, mais celle d'Herrena aurait exterminé une troupe entière de lions.

Elle éventra le filet et saisit le couvercle du coffre.

Deuxfleurs grimaça.

« Fermé, finit-elle par dire. Où est la clé, toi, le gros ?

— Il... il n'a pas de clé, dit Deuxfleurs.

— Il y a une serrure, fit-elle remarquer.

— Ben, oui, mais s'il veut rester fermé, il reste fermé », répliqua Deuxfleurs, mal à l'aise.

Herrena devinait le grand sourire de Gancia. Elle grogna.

« Je le veux ouvert, dit-elle. Gancia, tu t'en occupes. » Elle repartit à grands pas vers le feu.

Gancia dégaina un long couteau effilé et se baissa tout près du visage de Deuxfleurs.

« Elle le veut ouvert », dit-il. Il leva la tête vers l'autre homme et sourit.

« Elle le veut ouvert, Weems.

— Ouais. »

Gancia promena lentement son couteau sous le nez de Deuxfleurs.

« Écoutez, dit Deuxfleurs d'un ton patient, je ne crois pas que vous comprenez. Personne ne peut ouvrir le Bagage si ça lui dit de rester fermé.

— Oh oui, j'avais oublié, fit Gancia, l'air songeur. Évidemment, c'est un coffre magique, pas vrai ? Avec des petites pattes, à ce qu'il paraît. Dis donc, Weems, y a des pattes de ton côté ? Non ? »

Son couteau menaça la gorge de Deuxfleurs.

« Ça me contrarie beaucoup, fit-il. Weems aussi. Il ne dit pas grand-chose, mais ce qu'il fait, lui, c'est découper les gens en morceaux. Alors ouvre — le — coffre ! »

Il se retourna et flanqua un coup de pied sur le flanc du Bagage, laissant une vilaine entaille dans le bois.

On entendit un tout petit déclic.

Gancia sourit. Le couvercle se souleva lentement, lourdement. La lumière du feu, au loin, fit miroiter de l'or, des tas d'or : assiettes, chaînes et pièces de monnaie, bien lourdes, qui luisaient dans l'ombre tremblotante.

« C'est ça », fit doucement Gancia.

Il se retourna vers les hommes indifférents autour du feu, qui avaient l'air de crier sur quelqu'un à l'extérieur de la grotte. Puis il regarda Weems d'un air songeur. Ses lèvres remuèrent silencieusement sous l'effort inhabituel du calcul mental.

Il baissa les yeux sur son couteau.

C'est alors que le sol bougea.

« J'ai entendu quelqu'un, dit l'un des hommes. Là, en bas. Au milieu des... euh... rochers. »

La voix de Rincevent monta de l'obscurité.

« Dites ! fit-il.

— Quoi ? répondit Herrena.

— Vous êtes en grand danger ! brailla Rincevent. Il faut éteindre le feu !

— Non, non, fit Herrena. Vous vous trompez, c'est vous qui êtes en grand danger. Et le feu reste allumé.

— Il y a un gros et vieux troll...

— Tout le monde sait que les trolls évitent le feu », répliqua Herrena. Elle fit un signe de tête. Deux hommes tirèrent l'épée et se glissèrent dehors, dans les ténèbres.

« Tout à fait exact ! cria Rincevent désespérément. Seulement, ce troll-là, il ne peut pas, voyez-vous.

— Il ne peut pas ? » Herrena hésita. Un peu de la terreur dans la voix de Rincevent déteignait sur elle.

« Oui, parce que, vous voyez, vous l'avez allumé sur sa langue. »

C'est alors que le sol bougea.

Vieux Pépé s'éveilla très lentement de son sommeil séculaire. Il faillit ne pas s'éveiller du tout ; quelques décennies plus tard, rien de tout ceci ne serait arrivé. Quand un troll vieillit et entreprend de réfléchir sérieusement à l'univers, il trouve en général un coin tranquille où il s'attelle pour de bon à la philosophie et au bout d'un moment en vient à oublier ses extrémités physiques. Il commence à se cristalliser sur les bords jusqu'à ce qu'il ne reste plus rien d'autre qu'un tout petit tremblotement de vie à l'intérieur d'une grosse colline aux couches minérales insolites.

Vieux Pépé n'en était pas encore là. Il sortit d'une méditation qui le conduisait sur une ligne de recherche prometteuse quant au sens de la vérité et découvrit un goût de cendres brûlantes dans ce qu'après un certain temps de réflexion il se rappela être sa bouche.

La colère le gagna. Des ordres filèrent le long de tubes neuraux de silicium impur. Au fond de son corps siliceux, des quartiers de roc glissèrent en douceur selon certaines lignes de fracture. Les arbres s'abattirent, le gazon se crevassa tandis que des doigts gros comme des navires se dépliaient et agrippaient le sol. En haut de sa face abrupte, deux gigantesques volets de pierre se relevèrent sur les grandes opales encroûtées des yeux.

Rincevent ne distinguait rien de tout ça, bien sûr, car ses propres yeux n'avaient été conçus que pour la lumière du jour, mais il vit le paysage sombre lentement se secouer puis entreprendre, chose invraisemblable, de se dresser sur le fond d'étoiles.

Le soleil se leva.

Mais pas le jour. Ce qui se passa, c'est que la fameuse lumière solaire du Disque — laquelle, répétons-le, franchit très lentement le puissant champ magique — se répandit doucement sur les contrées proches du Bord et engagea sa molle et silencieuse bataille contre les armées en retraite de la nuit. Elle se déversa comme de l'or fondu [1] sur le paysage endormi, limpide, éclatante et, surtout, nonchalante.

Herrena n'hésita pas. Avec une grande présence d'esprit, elle courut au bord de la lèvre inférieure de Vieux

---

1. Pas exactement, évidemment. Les arbres ne s'embrasèrent pas, les gens ne devinrent pas brusquement extrêmement riches et très morts, et les mers ne se vaporisèrent pas d'un coup. Ce serait une meilleure comparaison que d'écrire : « pas comme de l'or fondu ».

Pépé, sauta et se reçut au sol par un roulé-boulé. Les hommes la suivirent et jurèrent en atterrissant parmi les roches détritiques.

Comme un obèse qui s'essayerait à des pompes, le vieux troll se souleva.

D'où ils gisaient, les prisonniers ne s'en rendaient pas compte. Tout ce qu'ils savaient, c'est que le sol n'arrêtait pas de tanguer par en dessous et qu'ils entendaient beaucoup de bruit, la plupart du temps désagréable.

Weems saisit Gancia par le bras.

« C'est un tremblement d'éther, dit-il. Sortons d'ici !

— Pas sans l'or, dit Gancia.

— Quoi ?

— L'or, l'or. Ouais, on pourrait être aussi riches que Créosote ! »

Weems avait peut-être un Q. I. du niveau de la température ambiante, mais il savait reconnaître l'idiotie quand il la voyait. Les yeux de Gancia luisaient davantage que l'or et ils avaient l'air de fixer son oreille gauche.

Weems regarda désespérément le Bagage. Il était resté ouvert, comme une invite, ce qui était bizarre : on se serait attendu à ce que les secousses fassent retomber le couvercle.

« On n'arriverait pas à le porter, objecta-t-il. C'est trop lourd.

« Merde, on va toujours bien en emporter un peu ! gueula Gancia, et il bondit en direction du coffre au moment où le sol subissait une nouvelle secousse.

Le couvercle s'abattit dans un claquement. Gancia disparut.

Et juste au cas où Weems aurait cru à un accident, le couvercle du Bagage se rouvrit l'espace d'une seconde, et une grande langue rouge comme de l'acajou passa sur de larges dents blanches comme du sycomore. Puis il se referma à la volée.

Pour ajouter encore à l'horreur de Weems, des centaines de petites jambes jaillirent de sous le coffre. Il se souleva posément et, mettant de l'ordre dans ses membres, se tourna dans un frottement de pieds pour lui faire face. Son trou de serrure avait un air particulièrement malveillant, du genre à dire : « Allons... fais-moi plaisir... »

Weems recula et jeta un regard implorant à Deuxfleurs.

« Je pense que ce serait une bonne idée de nous détacher, suggéra le touriste. Il est très affectueux quand il connaît. »

En se léchant nerveusement les lèvres, Weems tira son couteau. Le Bagage émit un craquement d'avertissement.

Il tailla dans leurs liens et se releva vite.

« Merci, dit Deuxfleurs.

— Je crois que mon dos remet cha, se plaignit Cohen tandis que Bethan l'aidait à se relever.

— Qu'est-ce qu'on en fait, de cet homme-là ? demanda Bethan.

— On lui prend chon couteau et on lui dit de che tailler, dit Cohen. D'accord ?

— Oui, m'sieur ! Merci, m'sieur ! » s'écria Weems qui fonça vers l'entrée de la caverne. Un instant, il se découpa sur le gris du ciel annonciateur de l'aube, puis il disparut. Un cri s'éleva au loin : « Aargh. »

La lumière du soleil déferlait sur le pays dans un rugissement silencieux. De temps en temps, là où le champ magique était légèrement plus faible, des langues de matin pointaient, en avance sur le jour, et isolaient des îlots de nuit qui se rétrécissaient avant de disparaître sous l'avancée de l'océan radieux.

Les hauts plateaux autour des Plaines du Vortex se dressaient devant le flux de lumière comme un grand navire gris.

Il est possible de poignarder un troll, mais la technique requiert de la pratique et personne n'a jamais eu l'occasion de pratiquer plus d'une fois. Les hommes d'Herrena virent les trolls émerger de l'obscurité, tels des fantômes matériels. Les lames volèrent en éclats au contact des peaux de silice, il y eut un ou deux glapissements brefs, écrasés, puis rien d'autre que les cris, loin dans la forêt, des survivants qui mettaient le plus de distance possible entre eux et la terre vengeresse.

Rincevent sortit en rampant de derrière un arbre et jeta un regard circulaire. Il était seul, mais les fourrés dans son dos bruissaient de la course dévastatrice des trolls à la poursuite de la bande.

Il leva la tête.

Loin au-dessus, deux yeux cristallins se fixèrent sur lui, emplis de haine pour tout ce qui était mou, spongieux et, surtout, chaud. Rincevent, horrifié, s'aplatit contre terre quand une main de la taille d'une maison se dressa, ferma le poing et s'abattit dans sa direction.

Le jour vint dans une explosion silencieuse de lumière. L'espace d'un instant, l'immense et terrible masse de Vieux Pépé fut un brise-lames d'ombre lorsque la lumière se déversa sur elle. Il y eut un bref crissement.

Puis le silence.

Plusieurs minutes s'écoulèrent. Il ne se passait rien.

Quelques oiseaux se mirent à chanter. Un bourdon vrombit au-dessus du rocher qu'était le poing de Vieux Pépé et se posa sur un carré de thym qui avait poussé sous un ongle de pierre.

Il y eut du remue-ménage par-dessous. Rincevent s'extirpa maladroitement de l'espace étroit entre le poing et le sol comme un serpent sortant d'un terrier.

Il s'allongea sur le dos et contempla le ciel au-delà de la masse pétrifiée du troll. Mise à part son immobilité, le troll restait le même, mais la vision de Rincevent commençait déjà à lui jouer des tours. Au cours de la nuit, le sorcier avait observé des lézardes dans la pierre et les avait vues devenir des yeux et des bouches ; maintenant il considérait le grand visage abrupt et voyait ses traits devenir, comme par magie, de simples défauts de la roche.

« Houlà ! » fit-il.

Ce qui ne l'avança pas à grand-chose. Il se mit debout, s'épousseta et regarda autour de lui. En dehors du bourdon, il était tout seul.

Après avoir fureté un petit moment, il découvrit un rocher qui, par certains côtés, ressemblait à Beryl.

Il était perdu, seul, loin de chez lui. Il...

Il entendit un craquement au-dessus de lui ; des bris de pierre giclèrent et s'enfoncèrent dans la terre. Tout en haut, un trou s'ouvrit dans le visage de Vieux Pépé ; l'espace d'un instant apparut le postérieur du Bagage qui s'efforçait de retrouver son équilibre, puis la tête de Deuxfleurs sortit de la cavité buccale.

« Il y a quelqu'un en bas ? Dites ?

— Hé ! cria le sorcier. J'suis-t-y content de te voir !

— Je ne sais pas, moi. Tu l'es ? fit Deuxfleurs.

— Je suis quoi ?

— Ça alors, on a une vue splendide d'ici ! »

Il leur fallut une demi-heure pour redescendre. Heureusement, les anfractuosités de Vieux Pépé offraient maintes prises, quoique son nez aurait constitué un obstacle difficile à franchir si un chêne luxuriant n'avait eu la bonne idée de lui pousser dans une narine.

Le Bagage ne s'embarrassa pas d'autant de manières ; il sauta et descendit par bonds successifs, apparemment sans dommages.

Assis dans l'herbe, Cohen essayait de reprendre son souffle et attendait que ses idées se remettent en place. Il observait le Bagage d'un œil songeur.

« Les chevaux sont tous partis, dit Deuxfleurs.

— On les retrouvera », fit Cohen. Il ne lâchait pas du regard le Bagage qui prit un air gêné.

« Ils transportaient toutes nos provisions, dit Rincevent.

— La nourriture, cha ne manque pas dans les forêts.

— J'ai des biscuits nourrissants dans le Bagage, dit Deuxfleurs. Des sablés de voyage. Des amis sûrs dans les coups durs.

— Je les ai goûtés, dit Rincevent. Ç'a du mal à passer, et... »

Cohen se mit debout en grimaçant.

« Ekchcujez-moi, dit-il sèchement. Il y a quelque choje que je voudrais chavoir. »

Il s'approcha du Bagage et empoigna le couvercle. Le coffre recula précipitamment, mais Cohen allongea un pied maigrelet et lui faucha la moitié des jambes. Tandis que le coffre se contorsionnait pour le mordre, l'octogénaire serra les mâchoires, souleva et retourna son adversaire qui se balança furieusement sur son couvercle bombé comme une tortue prise de folie.

« Hé, c'est mon Bagage ! dit Deuxfleurs. Pourquoi il attaque mon Bagage ?

— Je crois savoir, dit calmement Bethan. Je crois que c'est parce qu'il en a peur. »

Deuxfleurs se tourna vers Rincevent, bouche bée. Rincevent haussa les épaules.

« Que veux-tu que je te dise ? fit-il. Moi, quand j'ai peur de quelque chose, je me sauve. »

Dans un claquement de son couvercle, le Bagage bondit en l'air et retomba sur ses pattes pour courir flanquer un coup de cornière de cuivre dans le tibia de Cohen. Au moment où le coffre faisait demi-tour, le vieillard le cramponna assez longtemps pour l'envoyer galoper à fond de train dans un rocher.

« Pas mal », fit Rincevent, admiratif.

Le Bagage recula en chancelant, marqua une pause puis revint vers Cohen en agitant son couvercle d'un air menaçant. Cohen sauta et lui atterrit dessus, les mains et les pieds passés dans l'ouverture du couvercle.

Le Bagage en fut tout étonné. Il le fut encore davantage lorsque le héros prit une profonde inspiration et tira avec force ; les muscles qui saillaient sur ses bras maigres leur donnaient l'air de chaussettes remplies de noix de coco.

Ils restèrent ainsi enlacés un petit moment, tendons contre charnières. De temps en temps, l'un ou l'autre laissait échapper un craquement.

Bethan donna un coup de coude dans les côtes de Deuxfleurs.

« Faites quelque chose, dit-elle.

— Euh... fit Deuxfleurs. Oui. Bon, ça suffit, je crois. Fais-le descendre, s'il te plaît. »

Le Bagage lâcha un craquement de trahison au son de la voix de son maître. Son couvercle se souleva avec une telle violence que Cohen partit à la renverse avant de se remettre tant bien que mal sur ses pieds et de foncer à nouveau vers le coffre.

Le contenu du Bagage s'étalait au grand jour.

Cohen y plongea les mains.

Le Bagage craqua un peu mais il avait à l'évidence calculé les risques de se faire expédier tout en haut de la Grande Armoire Céleste. Lorsque Rincevent osa jeter un coup d'œil entre ses doigts, Cohen regardait à l'intérieur du coffre et jurait à voix basse.

« Du linge ? s'écria-t-il. Ch'est tout ? Du linge ? » Il tremblait de rage.

« Je crois qu'il y a aussi des biscuits, dit Deuxfleurs d'une petite voix.

— Mais jil y avait de l'or ! Et lui, je l'ai vu bouffer quelqu'un ! » Cohen lança un regard implorant à Rincevent.

Le sorcier soupira. « Ne me demandez rien, dit-il. Ce foutu machin n'est pas à moi.

— Je l'ai acheté dans une boutique, fit Deuxfleurs, sur la défensive. J'ai dit que je voulais une malle de voyage.

— Qui voyage toute seule, plutôt, fit Rincevent.

— Le Bagage est très dévoué, dit Deuxfleurs.

— Oh, oui, convint Rincevent. Si c'est le dévouement que tu recherches dans une valise.

— Un inchtant, fit Cohen qui s'était affaissé sur un rocher. Est-che que ch'était l'une de ches boutiques... je veux dire, je parie que tu ne l'avais pas remarquée avant, et quand tu es revenu, elle n'était plus là, ch'est cha ? »

Le visage de Deuxfleurs s'éclaira. « C'est vrai !

— Un marchand, petit, vieux et tout déchéché ? Un magajin plein de machins bijarres ?

— Exactement ! Je n'ai jamais pu la retrouver, la boutique, j'ai cru que je m'étais trompé de rue, à son emplacement il n'y avait qu'un mur de briques, je me souviens avoir pensé sur le moment que c'était plutôt... »

Cohen haussa les épaules. « Une de ches boutiques-là[1], dit-il. Cha ekchplique tout, alors. » Il se palpa le dos et grimaça. « Che crétin de cheval ch'est chauvé avec mon liniment ! »

---

1. Nul ne sait pourquoi, mais les articles les plus mystérieux et magiques s'achètent tous dans des boutiques qui apparaissent puis s'évanouissent en fumée, après une existence encore plus brève que celle d'un commerce de talismans par correspondance. Plusieurs explications ont été avancées, mais aucune ne rend entièrement compte des faits observés Ces boutiques surgissent n'importe où dans l'univers, et leur non-existence instantanée dans une quelconque cité se remarque normalement aux foules de chalands qui parcourent les rues, les mains crispées sur des articles magiques défunts et des cartes de garantie chamarrées, et qui regardent les murs de briques d'un air soupçonneux.

Rincevent se rappela quelque chose et fouilla dans les profondeurs de sa robe désormais très sale et déchirée. Il en tira une bouteille verte.

« Ch'est cha ! dit Cohen. T'es une vraie perle. » Il jeta un regard en coin à Deuxfleurs.

« Je l'aurais battu, dit-il tranquillement, même chans que tu le rappelles, j'aurais fini par le battre.

— C'est vrai, approuva Bethan.

— Vous deux, vous pouvez vous rendre utiles, ajouta-t-il. Che Bagage-là a enfonché une dent de troll pour nous chortir. Ch'était du diamant. Allez donc voir chi vous trouvez les morchaux. Cha m'a donné une idée. »

Tandis que Bethan se retroussait les manches et débouchait la bouteille, Rincevent emmena Deuxfleurs à l'écart. Quand ils furent bien cachés derrière un arbuste, le sorcier dit : « Il est devenu maboul.

— C'est de Cohen le Barbare que tu parles ! fit Deuxfleurs, sincèrement choqué. C'est le plus grand guerrier que...

— *C'était*, le coupa Rincevent. Toutes ces histoires de prêtres guerriers et de zombies mangeurs d'hommes, c'était il y a longtemps. Tout ce qui lui reste maintenant, ce sont des souvenirs et tellement de cicatrices sur le corps qu'on pourrait y jouer au morpion.

— C'est vrai, je le voyais quand même moins vieux », reconnut Deuxfleurs. Il ramassa un fragment de diamant.

« Alors, on devrait les laisser là, retrouver nos chevaux et partir, dit Rincevent.

— Ce serait une sale blague, non ?

— Ça se passera bien pour eux, dit Rincevent avec chaleur. La question, c'est : te sentiras-tu tranquille en compagnie d'un type capable d'attaquer le Bagage à mains nues ?

— C'est un fait, dit Deuxfleurs.

« — Ils seront probablement mieux sans nous, de toute façon.

— Tu es sûr ?

— Ma tête à couper », dit Rincevent.

Ils retrouvèrent leurs montures qui erraient dans les broussailles, prirent un petit déjeuner de charqui de cheval mal séché et partirent dans ce que Rincevent croyait la bonne direction. Quelques minutes plus tard, le Bagage émergea des fourrés et les suivit.

Le soleil monta plus haut dans le ciel mais ne parvint pas à éclipser la lumière de l'étoile.

« Elle a grossi durant la nuit, dit Deuxfleurs. Pourquoi personne ne fait rien ?

— Faire quoi ? »

Deuxfleurs réfléchit. « Quelqu'un ne pourrait-il pas dire à la Grande A'Tuin de l'éviter ? dit-il. De la contourner, quoi ?

— On a déjà cherché de ce côté-là, dit Rincevent. Des sorciers ont essayé de se brancher sur l'esprit de la Grande A'Tuin.

— Ça n'a pas marché ?

— Oh, si, très bien même, dit Rincevent. Seulement... »

Seulement, la lecture d'un cerveau aussi vaste que celui de la Tortue du Monde avait posé quelques problèmes imprévus, expliqua-t-il. Les sorciers avaient d'abord répété sur des tortues communes et des espèces marines géantes pour pénétrer la tournure d'esprit des chéloniens, mais s'ils savaient que le cerveau de la Grande A'Tuin serait vaste, ils n'avaient pas compris qu'il serait lent.

« Il y a un groupe de sorciers qui le lisent à tour de rôle depuis trente ans, dit Rincevent. Tout ce qu'ils ont découvert, c'est que la Grande A'Tuin attend quelque chose.

— Quoi donc ?

— Va savoir. »

Ils chevauchèrent un moment en silence dans un paysage rocailleux, suivirent une piste bordée d'immenses blocs de calcaire. Deuxfleurs finit par dire : « On devrait revenir, tu sais.

— Écoute, demain on aura atteint la Smarl, dit Rincevent. Il ne va rien leur arriver là où ils sont, je ne vois pas pourquoi... »

Il parlait tout seul. Deuxfleurs avait fait volter sa monture et repartait au trot, parfaite illustration de tout le talent équestre dont est capable un sac de pommes de terre.

Rincevent baissa les yeux. Le Bagage le regardait avec la fixité d'un hibou.

« Pourquoi tu me regardes comme ça ? fit le sorcier. Il peut s'en retourner si ça lui chante, qu'est-ce que j'en ai à faire ? »

Le Bagage ne répondit rien.

« Écoute, je ne suis pas responsable de lui, dit Rincevent. Soyons bien clairs là-dessus. »

Le Bagage ne répondit rien, mais plus fort, cette fois.

« Vas-y... suis-le. Tu n'as rien à faire avec moi. »

Le Bagage rétracta ses petites jambes et s'installa sur la piste.

« Bon, moi, je m'en vais, dit Rincevent. Sans blague », ajouta-t-il.

Il ramena la tête de son cheval vers le nouvel horizon et regarda par terre. Le Bagage n'avait pas bougé.

« Ça ne sert à rien de me prendre par les sentiments. Tu peux rester là toute la journée, ça m'est égal. Moi, je m'en vais, d'accord ? »

Il lança un regard mauvais au Bagage. Le Bagage le lui renvoya.

« Je me disais bien que tu reviendrais, dit Deuxfleurs.

— Je ne tiens pas à en parler, dit Rincevent.

— Tu veux qu'on parle d'autre chose ?

— Ouais, eh bien, une discussion sur la façon de se débarrasser de ces cordes serait la bienvenue », dit Rincevent. Il se tortilla dans les liens qui lui serraient les poignets.

« Je ne vois pas ce que tu représentes de si important », dit Herrena. Elle était assise sur un rocher en face d'eux, l'épée sur les genoux. Le gros de la bande était allongé parmi les rochers loin au-dessus et surveillait la route. Il avait été si facile de tendre une embuscade à Rincevent et Deuxfleurs que ç'en était pathétique.

« Weems m'a raconté ce que votre coffre a fait à Gancia, ajouta-t-elle. Je ne dirais pas que c'est une grosse perte, mais j'espère que cette malle a bien compris que si elle s'approche à moins d'un kilomètre de nous, je vous tranche personnellement la gorge à tous les deux, oui ? »

Rincevent hocha frénétiquement la tête.

« Bien, dit Herrena. On te veut mort ou vif, l'un ou l'autre, je m'en fiche, mais certains de mes gars aimeraient peut-être avoir un petit entretien avec toi sur ces trolls. Si le soleil ne s'était pas levé au bon moment... »

Elle laissa la phrase en suspens et s'éloigna.

« Eh ben, nous voilà encore dans de beaux draps », dit Rincevent. Il tira une nouvelle fois sur ses liens. Il y avait un rocher derrière lui, et s'il arrivait à lever les poignets... Oui, il s'y attendait, la pierre l'écorchait et elle était en même temps trop émoussée pour mordre la corde.

« Mais pourquoi nous ? demanda Deuxfleurs. Ç'a un rapport avec cette étoile, hein ?

— Je ne sais rien de cette étoile, dit Rincevent. Je n'ai même jamais suivi de cours d'astrologie à l'Université !

— A mon avis, toute cette histoire finira bien », dit Deuxfleurs.

Rincevent le regarda. Ce genre de réflexion le déconcertait toujours.

« Tu crois vraiment ça ? fit-il. Je veux dire : *vraiment* ?

— Eh bien, l'issue est en général heureuse, si on réfléchit bien.

— Si tu considères qu'une vie perturbée depuis un an, c'est heureux, alors tu as peut-être raison. Je ne sais plus combien de fois j'ai failli me faire tuer...

— Vingt-sept, dit Deuxfleurs.

— Quoi ?

— Vingt-sept fois, dit obligeamment Deuxfleurs. J'ai compté. Mais tu ne l'as jamais vraiment été.

— Quoi ? Compté ? fit Rincevent qui commençait à éprouver l'impression familière que la conversation s'égarait.

— Non. Tué. Ça ne te paraît pas louche ?

— Je n'ai jamais trouvé à y redire, si c'est ce que tu penses », répliqua Rincevent. Il regarda ses pieds, furieux. Deuxfleurs avait raison, bien entendu. Le Sortilège le gardait en vie, c'était évident. Sûrement que s'il sautait d'une falaise un nuage de passage amortirait sa chute.

L'ennui avec cette théorie, se dit-il, c'est que ça marchait seulement s'il n'y croyait pas. Dès l'instant où il s'estimerait invulnérable, il mourrait.

En définitive, c'était plus sage de ne pas y penser du tout.

Tout de même, peut-être qu'il se trompait.

Il était sûr d'une chose : il sentait venir le mal de crâne. Il espéra que le Sortilège se trouvait dans le même coin et qu'il comprendrait sa douleur.

Lorsqu'ils émergèrent du creux de terrain, Rincevent et Deuxfleurs partageaient chacun la monture d'un de leurs ravisseurs. Le sorcier occupait une place inconfortable devant Weems qui, affligé d'une entorse à la cheville, était de mauvaise humeur. Le touriste, lui, était assis devant Herrena, ce qui lui assurait, vu sa petite taille, de garder au moins les oreilles au chaud. Elle chevauchait un couteau à la main et l'œil aux aguets du moindre coffre ambulant ; Herrena n'avait pas tout à fait compris la nature du Bagage, mais elle était assez futée pour savoir qu'il ne laisserait pas Deuxfleurs se faire tuer.

Au bout d'une dizaine de minutes, ils le virent au milieu de la route. Son couvercle ouvert invitait à s'approcher. Il était plein d'or.

« Faites le tour, dit Herrena.

— Mais...

— C'est un piège.

— C'est vrai, dit Weems, blanc comme un linge. Vous pouvez me croire. »

A contrecœur ils forcèrent leurs montures à contourner la tentation étincelante et reprirent la piste au trot. Weems jeta un regard inquiet en arrière, redoutant de voir le coffre le suivre.

Ce qu'il vit était encore pire. Il avait disparu.

Au loin, d'un côté de la piste, les hautes herbes bougèrent mystérieusement avant de reprendre leur immobilité.

Rincevent ne valait pas grand-chose comme sorcier et encore moins comme combattant, mais c'était un expert en couardise et il reconnaissait la peur à l'odeur. D'une voix tranquille, il lâcha : « Il va vous suivre, vous savez.

— Quoi ? » fit Weems, la tête ailleurs. Il scrutait toujours les herbes.

« Il est très patient et il n'abandonne jamais. C'est à du poirier savant que vous avez affaire. Il va vous laisser croire qu'il vous a oublié, puis un jour où vous marcherez dans une rue sombre, vous entendrez ses petits pieds derrière vous... *clop, clop*, qu'ils feront, alors vous vous mettrez à courir et ils vous rattraperont, *clop-CLOPCLOP*...

— La ferme ! cria Weems.

— Probable qu'il vous a déjà reconnu, alors...

— J'ai dit : la ferme ! »

Herrena se retourna sur sa selle et les regarda d'un œil mauvais. Weems se renfrogna et tira l'oreille de Rincevent jusque devant sa bouche pour dire d'une voix rauque : « Je n'ai peur de rien, vu ? Ces trucs de sorcier, je crache dessus.

— C'est ce qu'ils disent tous jusqu'à ce qu'ils entendent les pieds », dit Rincevent. Il n'alla pas plus loin. La pointe d'un couteau lui chatouillait les côtes.

Rien ne se passa du reste de la journée mais, à la satisfaction de Rincevent et à la paranoïa grandissante de Weems, le Bagage se montra plusieurs fois. Ici, absurdement perché sur un rocher à pic ; là, à demi dissimulé dans un fossé, recouvert d'une mousse qui lui poussait dessus.

En fin d'après-midi ils parvinrent au sommet d'une colline et regardèrent en contrebas la large vallée du cours supérieur de la Smarl, le plus long fleuve du Disque. Elle avait déjà près d'un kilomètre de large, lourde du limon qui faisait de la vallée inférieure la région la plus fertile du continent. Quelques traînées de brume matinale enguirlandaient ses berges.

« Clop », fit Rincevent. Il sentit Weems sursauter sur sa selle.

« Hein ?

— Rien, je me raclais la gorge », fit-il en souriant. Il avait mis beaucoup d'intention dans ce sourire. C'était le genre de sourire dont se parent ceux qui, le regard fixé sur votre oreille gauche, vous affirment avec insistance que des agents secrets de la galaxie voisine les espionnent. Ce n'était pas un sourire à inspirer confiance. On en a probablement vu de plus horribles, mais seulement chez l'espèce de sourieur orange à raies noires et longue queue qui rôde dans la jungle en quête de victimes à qui les adresser.

« Arrête ça », dit Herrena en trottant à sa hauteur.

A la jonction de la piste et de la berge du fleuve il y avait un appontement grossier et un grand gong de bronze.

« Je vais appeler le passeur, dit Herrena. En traversant ici, on coupe un grand méandre du fleuve. Peut-être même qu'on trouvera une ville avant ce soir. »

Weems avait l'air d'en douter. Le soleil grossissait et rougissait, et la brume commençait à s'épaissir.

« A moins que tu préfères passer la nuit de ce côté-ci du fleuve ? »

Weems ramassa le marteau et frappa le gong si fort que celui-ci fit un soleil complet autour de son support et tomba par terre.

Ils attendirent en silence. Puis, dans un cliquetis mouillé, une chaîne sortit de l'eau et se tendit jusqu'à un piquet de fer planté dans le sol. Enfin la forme lente et plate du bac émergea de la brume ; en son milieu, le passeur encapuchonné s'échinait sur un gros treuil pour gagner la rive.

Le fond plat du bac racla le gravier et la silhouette encapuchonnée s'appuya sur le treuil, hors d'haleine.

« Deux à la fois, murmura-t-elle. Ch'est tout. Cheulement deux, pluch les chevaux. »

Rincevent déglutit et s'efforça de ne pas regarder Deuxfleurs. Il devait probablement arborer un sourire d'idiot sur sa goule enfarinée. Il risqua un regard en coin.

Deuxfleurs, figé, avait la bouche ouverte.

« Ce n'est pas toi le passeur, d'habitude, dit Herrena. Je suis déjà venue, et c'était un grand type, une espèce de...

— Ch'est chon jour de congé.

— Bon, ça va, dit-elle sans conviction. Dans ce cas... *qu'est-ce qui le fait rire ?* »

Les épaules de Deuxfleurs s'agitaient, sa figure était toute rouge et il étouffait des gloussements, des reniflements. Herrena lui lança un regard mauvais puis considéra le passeur.

« Deux d'entre vous, là... emparez-vous de lui ! »

Il y eut un silence. Ensuite l'un des hommes demanda : « Qui ? Le passeur ?

— Oui !

— Pourquoi ? »

Herrena en fut comme deux ronds de flan. Une chose pareille n'était pas censée se produire. Il était d'usage, lorsqu'on criait des ordres du genre « Attrapez-le ! » ou « A la garde ! » que les hommes se précipitent pour obéir, il n'était pas prévu qu'ils restent assis à discuter.

« Parce que je l'ai dit ! » Elle ne trouva pas de meilleure réponse. Les deux hommes les plus près de la silhouette penchée se regardèrent avant de mettre chacun pied à terre et la main sur une épaule du passeur. Il faisait à peu près la moitié de leur taille.

« Comme ça ? » fit l'un d'eux. Deuxfleurs manquait d'air.

« Maintenant je veux savoir ce qu'il a sous sa robe. »

Les deux hommes échangèrent des coups d'œil.

« Je ne suis pas sûr que... » commença l'un.

Il n'alla pas plus loin parce qu'un coude noueux s'enfonça brusquement dans son estomac comme un piston. Son compagnon baissa une tête incrédule et se reçut l'autre coude dans les reins.

Cohen pesta tandis qu'il se démenait pour dépêtrer son épée de sa robe tout en sautillant en crabe vers Herrena. Rincevent grogna, serra les dents et lança brutalement la tête en arrière. Weems poussa un cri. Rincevent roula sur le côté, atterrit lourdement dans la boue, se releva en catastrophe, l'air affolé, et chercha autour de lui un trou où se cacher.

Avec un cri de victoire, Cohen parvint à dégager son épée qu'il agita triomphalement, blessant grièvement un homme qui s'approchait à pas de loup par-derrière.

Herrena poussa Deuxfleurs à bas de son cheval et tâtonna pour trouver sa propre lame. Le touriste voulut se relever et fit se cabrer un autre cheval, lequel désarçonna son cavalier dont la tête vint au niveau idéal pour que Rincevent lui balance un formidable coup de pied. Le sorcier était le premier à se traiter de rat, mais même les rats se battent quand ils sont acculés.

Les mains de Weems s'abattirent sur son épaule et un poing de la taille d'un gros caillou s'écrasa sur sa tête.

A l'instant où il s'écroulait, il entendit Herrena annoncer calmement : « Tuez ces deux-là. Moi, je m'occupe de ce vieux fou.

— Bien ! » dit Weems qui se tourna vers Deuxfleurs, l'épée au clair.

Rincevent le vit hésiter. Il y eut un instant de silence, puis même Herrena entendit le pataugeage du Bagage qui prenait pied sur la berge, dégoulinant d'eau.

Weems le contempla avec horreur. Son épée lui tomba de la main. Il fit demi-tour et s'enfuit dans la brume à toutes jambes. La seconde suivante, le Bagage bondissait par-dessus Rincevent et prenait l'homme en chasse.

Herrena poussa une botte à Cohen qui para l'attaque et grogna à cause de l'élancement qu'il ressentit au bras. Les lames humides s'entrechoquèrent, puis Herrena fut forcée de rompre lorsque Cohen lui porta un grand coup habile de bas en haut qui faillit la désarmer.

Rincevent s'approcha en titubant de Deuxfleurs et le tira en vain.

« C'est le moment de partir, murmura-t-il.

— Ça, c'est prodigieux ! s'exclama Deuxfleurs. Tu as vu comment il...

— Oui, oui, allez, viens !

— Mais je veux... Joli, dites-moi ! »

L'épée de Herrena lui vola de la main pour aller se planter en vibrant dans la boue. Avec un grognement de satisfaction, Cohen ramena son arme, vira un instant de l'œil, poussa un petit cri de douleur et se figea sur place.

Herrena le regarda, étonnée. Elle risqua un mouvement en direction de son épée et, comme rien ne se produisait, s'en saisit, la soupesa et fixa Cohen. Seul l'œil angoissé de l'octogénaire bougeait pour la suivre tandis qu'elle tournait prudemment autour de lui.

« Il a encore le dos coincé ! chuchota Deuxfleurs. Qu'est-ce qu'on peut faire ?

— On peut essayer d'attraper les chevaux ?

— Eh bien, fit Herrena, je ne sais pas qui tu es ni ce que tu fais ici, et il n'y a rien de personnel là-dedans, tu comprends. »

Elle leva son épée à deux mains.

Il y eut un mouvement soudain dans la brume et le coup sourd d'un lourd morceau de bois sur une tête. L'espace d'une seconde Herrena prit un air étonné, puis elle s'écroula en avant.

Bethan laissa tomber la branche qu'elle tenait à la main et regarda Cohen. Elle le saisit alors par les épaules, lui mit un genou dans le creux des reins, exerça une torsion précise et le relâcha.

Une expression de béatitude passa sur la figure du héros. Il essaya de se courber, pour voir.

« Ch'est parti ! dit-il. Mon dos ! Parti ! »

Deuxfleurs se tourna vers Rincevent.

« Mon père, lui, conseillait de se suspendre au chambranle d'une porte », dit-il, histoire de causer.

Weems se déplaçait avec une extrême prudence entre les arbres rabougris chargés de brume. L'atmosphère pâle et humide étouffait tous les bruits, mais il était sûr qu'il n'y avait rien à entendre depuis les dix dernières minutes. Il se retourna très lentement et se permit alors le luxe d'un long soupir non feint. Il revint sous le couvert des buissons.

Quelque chose lui donna un petit coup derrière la jambe, tout doucement. Quelque chose d'anguleux.

Il baissa la tête. Ses pieds étaient plus nombreux que d'habitude.

Il y eut un claquement bref et sec.

Le feu dessinait un tout petit point de lumière dans un paysage de ténèbres. La lune ne s'était pas encore levée, mais l'étoile rougeoyante restait tapie sur l'horizon.

« On la voit bien ronde, maintenant, dit Bethan. On dirait un petit soleil. Et je suis sûre qu'il fait plus chaud.

— Ah, non ! protesta Rincevent. Comme si je n'avais pas assez de soucis !

— Che que je ne comprends pas, dit Cohen, qui se faisait masser le dos, ch'est comment ils vous ont pris chans qu'on entende. On ne l'aurait jamais chu chi votre Bagage n'avait pas chauté dans tous les chenchs.

— Et gémi », ajouta Bethan. Ils la regardèrent tous.

« Ben, il avait l'air de gémir, en tout cas, dit-elle. Je le trouve plutôt mignon, c'est vrai. »

Trois paires et demie d'yeux se tournèrent vers le Bagage, couché de l'autre côté du feu. Il se leva et se retira avec affectation dans l'ombre.

« Fachile à nourrir, dit Cohen.

— Difficile à perdre, renchérit Rincevent.

— Fidèle, suggéra Deuxfleurs.

— Chpachieux, dit Cohen.

— Mais je ne dirais pas mignon, dit Rincevent.

— Je chuppoje que tu ne veux pas le vendre ? » fit Cohen.

Deuxfleurs secoua la tête. « Je ne crois pas qu'il comprendrait, dit-il.

— Non, ch'est che qui me chemble », dit Cohen. Il se mit sur son séant et se mordit la lèvre. « Je cherche un cadeau pour Bethan, voyez-vous. On va che marier.

— On s'est dit que vous deviez être les premiers à apprendre la nouvelle », dit Bethan qui rougit.

Rincevent ne capta pas le regard de Deuxfleurs.

« Eh bien, c'est très... euh...

— Dès qu'on aura trouvé une ville avec un prêtre, dit Bethan. Je veux que ce soit fait dans les règles.

— C'est très important, dit sérieusement Deuxfleurs. S'il y avait plus de moralité, on ne se fracasserait pas contre les étoiles. »

Ils méditèrent là-dessus pendant un moment. Puis Deuxfleurs annonça gaiement : « Une nouvelle pareille, ça se fête. J'ai un peu de biscuits et d'eau, s'il vous reste du charqui.

— Oh, bonne idée », fit mollement Rincevent. D'un signe, il attira Cohen à part. Avec sa barbe rafraîchie, le vieil homme aurait pu passer pour un septuagénaire par une nuit sans lune.

« C'est... euh... sérieux ? fit-il. Vous allez vraiment l'épouser ?

— Bien chûr. Des jobjekchions ?

— Ben, non, évidemment, mais... enfin, elle a dix-sept ans, et vous... vous... comment dire, vous êtes d'un certain âge...

— Il est temps de m'achagir, tu veux dire ? »

Rincevent chercha ses mots. « Vous avez soixante-dix ans de plus qu'elle, Cohen. Vous êtes sûr que... ?

— J'ai déjà été marié, tu chais. J'ai une achez bonne mémoire, dit Cohen d'un ton de reproche.

— Non, ce que je veux dire, c'est... enfin, physiquement, il y a le problème de... vous savez, la différence d'âge et tout ça. C'est une question de santé, n'est-ce pas, et...

— Ah, fit lentement Cohen. Je comprends chc que tu veux dire. La fatigue. Je n'avais pas vu les chojes chous chet angle.

— Non, sans doute, dit Rincevent qui se redressa. Non, enfin, c'est normal.

— Tu me donnes à réfléchir, pour cha, oui !

— J'espère que je n'ai rien bouleversé dans vos projets.

— Non, non, fit distraitement Cohen. Ne t'ekchcuje pas. T'as eu raijon de me faire la remarque. »

Il se retourna pour regarder Bethan, qui lui fit signe de la main, puis leva la tête vers l'étoile rouge qui brillait dans la brume.

Il finit par dire : « On vit une époque dangereuje.

— C'est un fait.

— Qui peut dire che que nous réjerve l'avenir ?

— Pas moi. »

Cohen donna alors une claque sur l'épaule de Rincevent. « Des fois, faut chavoir prendre des richques, dit-il. Ne chois pas vekché, mais je penche qu'on va quand même che marier et, ma foi — il regarda Bethan et soupira —, echpérons qu'elle chera achez forte. »

Vers la mi-journée suivante, ils pénétrèrent dans une petite ville ceinte de murs, au milieu de champs encore verts et luxuriants. Il y avait pourtant beaucoup de circulation dans l'autre sens, semblait-il. D'immenses charrettes les croisaient en grondant. Des troupeaux de bétail cheminaient pesamment au milieu de la route. De vieilles femmes défilaient, le pas lourd, des meules de foin et les biens du ménage sur le dos.

« La peste ? » demanda Rincevent en arrêtant un homme qui poussait une charrette à bras pleine d'enfants.

Il fit non de la tête. « C'est l'étoile, l'ami, dit-il. Tu ne l'as pas vue dans le ciel ?

— Si, difficile de faire autrement.

— On dit qu'elle va nous percuter à la Veille des Porchers, que les mers vont bouillir, que les pays du Disque seront dévastés, les rois renversés et les villes comme des lacs de verre, récita l'homme. Moi, je m'en vais dans les montagnes.

— Vous serez mieux là-haut, c'est ça ? fit Rincevent, sceptique.

— Non, mais on aura une meilleure vue. »

Rincevent rejoignit les autres.

« Ils s'inquiètent de l'étoile, dit-il. On dirait qu'il ne reste plus grand monde dans les villes, ils en ont tous peur.

— Je ne voudrais pas vous inquiéter, dit Bethan, mais vous ne trouvez pas qu'il fait chaud pour la saison ?

— C'est ce que je faisais remarquer hier au soir, fit Deuxfleurs. Très chaud, je me suis dit.

— J'ai idée que cha va chauffer encore beaucoup pluch, dit Cohen. Entrons dans la ville. »

Ils parcoururent des rues quasiment désertes où se répercutaient les pas de leurs chevaux. Cohen détaillait les enseignes de toutes les échoppes et finit par arrêter sa monture. « Voilà che que je cherchais. Trouvez jun temple et un prêtre, j'arrive tout de chuite.

— Un bijoutier ? s'étonna Rincevent.

— Ch'est une churprije.

— J'aurais besoin d'une nouvelle toilette aussi, dit Bethan.

— Je vais t'en voler une. »

L'atmosphère de la ville avait quelque chose d'étouffant, songea Rincevent. Il y avait aussi un détail très étrange.

Sur presque chaque porte, on avait peint une grande étoile rouge.

« Ça donne la chair de poule, fit Bethan. On dirait que les gens veulent attirer l'étoile chez eux.

— Ou l'empêcher d'approcher, dit Deuxfleurs.

— Ça ne marchera pas. Elle est trop grosse », dit Rincevent. Il vit leurs visages tournés vers lui.

« Ben, ça va de soi, non ? fit-il sans conviction.

« — Non, dit Bethan.

— Les étoiles ne sont que des petites lumières dans le ciel, dit Deuxfleurs. Un jour, il y en a une qui est tombée près de chez moi... un grand machin blanc, comme une maison, elle a brillé pendant des semaines avant de s'éteindre.

— *Cette étoile est différente*, fit une voix. *La Grande A'Tuin est arrivée à la plage de l'univers. C'est le grand océan de l'espace.*

— Comment tu le sais ? demanda Deuxfleurs.

— Sais quoi ? fit Rincevent.

— Ce que tu viens de dire. Sur les plages et les océans.

— Je n'ai rien dit !

— Si, vous l'avez dit, espèce d'idiot ! hurla Bethan. On a vu vos lèvres bouger et tout ! »

Rincevent ferma les yeux. Dans son esprit, il sentit le Sortilège qui filait se cacher derrière sa conscience et qui marmonnait tout seul.

« D'accord, d'accord, dit le sorcier. Pas la peine de crier. Je... je ne sais pas comment je sais, mais je sais, voilà...

— Quand même, vous auriez pu nous en parler. »

Ils tournèrent au coin de la rue.

Toutes les cités au bord de la mer Circulaire avaient un quartier réservé aux dieux, dont le Disque était largement pourvu. Des quartiers d'ordinaire pleins de monde et guère intéressants du point de vue architectural. Les plus anciens dieux, évidemment, avaient eu droit à de grands et superbes temples, malheureusement les suivants avaient exigé un traitement égal et les lieux saints n'avaient pas tardé à voir fleurir appentis, annexes, greniers aménagés, seconds sous-sol et petits studios coquets, surpopulation religieuse et multi-propriété trans-temporelle, car aucune divinité n'aurait conçu de vivre en dehors du quartier consacré (le terme de « tiersier » aurait d'ailleurs mieux convenu que celui de quartier). On y brûlait d'ordinaire trois cents sortes d'encens et le bruit y atteignait en temps normal le seuil de la douleur à cause de tous les prêtres qui appelaient à qui mieux mieux leur contingent de fidèles à la prière.

Mais cette rue était d'un calme de mort, de ce calme particulièrement déplaisant qui se dégage lorsque des centaines de personnes effrayées et en colère attendent debout en silence.

Un homme en bordure de la foule se retourna et regarda de travers les nouveaux arrivants. Il avait une étoile rouge peinte sur le front.

« Qu'est-ce qui... ? » commença Rincevent qui se reprit car sa voix lui paraissait trop forte. « ... Qu'est-ce qui se passe ?

— Vous êtes étrangers ? fit l'homme.

— En fait, on se connaît assez... » commença Deuxfleurs avant de se taire. Bethan montrait la rue du doigt.

Chaque temple arborait son étoile peinte. Il y en avait une particulièrement grosse barbouillée sur l'œil de pierre à l'extérieur du temple d'Io l'Aveugle, le chef des dieux.

« Hou-là, fit Rincevent. Io risque vraiment de se mettre en rogne quand il va voir ça. A mon avis, il ne faut pas traîner dans le coin, les amis. »

La foule faisait face à une estrade rudimentaire installée au milieu de la large rue. On avait tendu une grande bannière sur tout le devant.

« J'ai toujours entendu dire qu'Io l'Aveugle voit tout ce qui se passe partout, dit doucement Bethan. Alors pourquoi il n'a pas... ?

— Taisez-vous ! intima l'homme auprès d'eux. Dahoney parle ! »

Une silhouette était montée sur l'estrade, un homme grand et mince, coiffé comme un pissenlit. Aucune acclamation ne monta de la foule, seulement un soupir collectif. Il se mit à parler.

Rincevent écouta avec une horreur grandissante. Où étaient les dieux ? demandait l'homme. Ils étaient partis. Ils n'avaient peut-être jamais existé. Qui, d'ailleurs, se rappelait les avoir vus ? Et maintenant on leur avait envoyé l'étoile...

Et ainsi de suite, d'une voix calme et claire qui employait des mots tels que « assainir », « nettoyer », « purifier » et qui pénétrait dans le cerveau comme une épée portée au rouge. Où étaient les sorciers ? Où était la magie ? Avait-elle jamais fonctionné, ou tout cela n'avait-il été qu'un rêve ?

Rincevent commençait à vraiment craindre que de tels propos n'arrivent aux oreilles des dieux ; ils pourraient se mettre en colère et s'en prendre à tous ceux qui se trouvaient là pour entendre ce discours.

Mais d'une certaine façon les courroux divins auraient encore été préférables au son de cette voix. L'étoile arrivait, disait-elle en substance, et on ne pouvait éviter son terrible feu qu'en... qu'en... Rincevent n'en était pas sûr, mais il avait des visions d'épées, d'étendards et de guerriers aux yeux vides. La voix ne croyait pas aux dieux, ce qui, de l'avis de Rincevent, était tout à fait mérité, mais elle ne croyait pas non plus dans les gens.

Un grand étranger encapuchonné, à droite, bouscula Rincevent. Le sorcier se retourna... et leva les yeux vers un crâne grimaçant sous une capuche noire.

Les sorciers, comme les chats, sont habilités à voir la Mort.

Comparé au son de la voix, la Mort paraissait presque agréable. Il s'adossa contre un mur, sa faux appuyée près de lui. Il hocha la tête à l'adresse de Rincevent.

« Le spectacle vous plaît ? » murmura Rincevent. La Mort haussa les épaules.

« JE SUIS VENU VOIR L'AVENIR, dit-il.

— C'est ça, l'avenir ?

— UN AVENIR, dit la Mort.

— Il est horrible, fit Rincevent.

— C'EST AUSSI MON AVIS, dit la Mort.

— J'aurais cru que vous seriez d'accord avec tout ça !

— PAS DE CETTE FAÇON. LA MORT DU GUERRIER, DU VIEILLARD OU DU JEUNE ENFANT, ÇA, JE COMPRENDS, JE FAIS DISPARAÎTRE LA DOULEUR ET JE METS FIN À LA SOUF-FRANCE. JE NE COMPRENDS PAS CETTE MORT-DE-L ESPRIT.

— A qui tu parles ? » demanda Deuxfleurs. Plu-sieurs membres de la congrégation s'étaient retournés et regardaient Rincevent d'un œil méfiant.

« A personne, répondit Rincevent. On ne pourrait pas s'en aller ? J'ai la migraine. »

Un groupe de badauds dans les derniers rangs de la foule chuchotaient maintenant entre eux et les mon-traient du doigt. Rincevent attrapa les deux autres et les entraîna dans la rue transversale.

« En selle et sauvons-nous, dit-il. J'ai le mauvais pressentiment que... »

Une main lui atterrit sur l'épaule. Il fit demi-tour. Une paire d'yeux gris et troubles dans une tête ronde et chauve au-dessus d'un grand corps musculeux lui fixaient l'oreille gauche. L'homme avait une étoile peinte sur le front.

« Tu m'as l'air d'un sorcier, dit-il d'une voix qui lais-sait entendre que ce n'était pas une bonne idée et qu'elle risquait d'être fatale.

— Qui ça ? Moi ? Non, je suis... un commis. Oui. Un commis. C'est vrai », dit Rincevent. Il laissa échap-per un petit rire.

L'homme se tut un instant, mais ses lèvres remuaient silencieusement, comme s'il écoutait une voix dans sa tête. Plusieurs autres « étoilés » l'avaient rejoint. L'oreille gauche de Rincevent commençait à connaître un franc succès.

« Je crois que t'es un sorcier, reprit l'homme.

— Écoutez, objecta Rincevent, si j'étais un sorcier, je serais capable de faire de la magie, non ? Je vous changerais en quelque chose. Je ne l'ai pas fait, alors je n'en suis pas un.

— On a tué tous nos sorciers, dit un autre. Certains se sont sauvés, mais on en a tué un bon paquet. Ils agitaient les mains et rien n'en sortait. »

Rincevent le regarda fixement.

« Et on croit que t'es un sorcier, toi aussi, insista l'homme qui tenait Rincevent d'une poigne de plus en plus dure. T'as le coffre à pattes et t'as l'air d'un sorcier. »

Rincevent se rendit compte qu'on les avait, ses deux compagnons, le Bagage et lui, séparés de leurs chevaux, et qu'ils occupaient désormais le centre d'un cercle qui se resserrait de mines sérieuses et grises.

Bethan était toute pâle. Même Deuxfleurs, dont l'aptitude à reconnaître le danger valait celle de Rincevent à voler, avait l'air inquiet.

Rincevent prit une profonde inspiration.

Il leva les mains dans la pose classique qu'on lui avait enseignée des années plus tôt et proféra d'une voix rauque : « Arrière ! Sinon je lâche ma magie sur vous !

— Il n'y a plus de magie, dit l'homme. L'étoile l'a balayée. Tous les faux sorciers ont débité leurs mots bizarres, mais il ne s'est rien passé, alors ils ont regardé leurs mains avec horreur et très peu, en réalité, ont eu le bon sens de se sauver.

— Attention ! » menaça Rincevent.

Il va me tuer, songeait-il. Voilà. Je n'arrive même plus à bluffer. Nul en magie, nul en bluff. Je ne suis qu'un...

Le Sortilège bougea dans son esprit. Il le sentit suinter dans son cerveau comme de l'eau gelée et rassembler ses forces. Un picotement glacé lui courut le long du bras.

Sa main se souleva d'elle-même, il sentit sa bouche s'ouvrir et se fermer, sa langue s'agiter lorsqu'une voix qui n'était pas la sienne, une voix vieille et sèche, articula des syllabes qui fusèrent dans l'air comme des nuages de vapeur.

Du feu octarine lui jaillit de sous les ongles. Il s'enroula autour de l'homme terrifié jusqu'à le faire disparaître dans un nuage glacé, crachotant, qui s'éleva au-dessus de la rue où il resta un long moment immobile avant d'exploser dans le néant.

Il ne restait même pas une petite volute de fumée grasse.

Rincevent contempla sa main avec épouvante.

Deuxfleurs et Bethan lui saisirent chacun un bras et le poussèrent à travers la foule médusée pour retrouver la rue dégagée. Il y eut un instant de flottement lorsqu'ils voulurent l'un et l'autre s'enfuir par une ruelle différente, mais bientôt ils couraient à toutes jambes en soutenant Rincevent dont les pieds touchaient à peine les pavés.

« De la magie, marmonnait-il, tout excité, ivre de puissance. J'ai fait de la magie...

— C'est vrai, dit Deuxfleurs avec douceur.

— Vous voulez que je vous fasse un sortilège ? » demanda Rincevent. Il pointa un doigt sur un chien qui passait par là et prononça : « Houiii ! » L'animal lui lança un regard offensé.

« Si vous faisiez courir vos pieds beaucoup plus vite, ce serait mieux, dit Bethan d'un air mécontent.

— Bien sûr ! bredouilla Rincevent. Pieds ! Courez plus vite ! Hé, regardez, ils courent plus vite !

— Ils sont plus malins que vous, dit Bethan. Par où, maintenant ? »

Deuxfleurs fouilla du regard le dédale de ruelles autour d'eux. On entendait beaucoup de cris à quelque distance.

Rincevent se dégagea en vacillant de leur prise et trottina d'un pas hésitant dans la ruelle la plus proche.

« Je peux le faire ! brailla-t-il comme un fou. Prenez garde, vous tous...

— Il est sous le choc, dit Deuxfleurs.

— Pourquoi ?

— Il n'avait encore jamais lancé de sortilège.

— Mais c'est un sorcier !

— Tout ça est un peu compliqué, convint Deuxfleurs qui s'élança derrière Rincevent. N'importe comment, je me demande s'il s'agissait vraiment de lui. En tout cas, ça n'était sûrement pas sa voix. Allez, viens, mon vieux. »

Rincevent le regarda, les yeux hagards, sans le voir.

« Toi, je vais te changer en rosier, dit-il.

— Mais oui, mais oui, excellent. Allez, viens », insista gentiment Deuxfleurs en le tirant doucement par le bras.

Plusieurs ruelles résonnèrent de bruits de pas précipités et soudain une dizaine d'adeptes étoilés s'avancèrent vers eux.

Bethan attrapa la main flasque de Rincevent et la brandit d'un geste menaçant.

« N'approchez pas ! hurla-t-elle.

— Parfaitement ! brailla Deuxfleurs. Nous avons un sorcier et nous n'hésiterons pas à nous en servir !

— Attention ! glapit Bethan qui fit pivoter Rincevent par le bras comme un guindeau.

— Parfaitement ! Nous sommes puissamment armés !... Quoi ? fit Deuxfleurs.

— Je disais : où est le Bagage ? » souffla Bethan dans le dos de Rincevent.

Deuxfleurs regarda autour d'eux. Le Bagage n'était plus là.

Rincevent produisait l'effet désiré sur les étoilés, en tout cas. Ils se comportaient devant sa main qui ondulait mollement comme s'il s'agissait d'une faux rotative et ils cherchaient à se cacher les uns derrière les autres.

« Alors, où il est parti ?

— Comment je le saurais ? dit Deuxfleurs.

— C'est votre Bagage !

— Ça m'arrive souvent de ne pas savoir où est mon Bagage, c'est le lot des touristes. De toute façon, il part régulièrement se promener tout seul. Il vaut probablement mieux ne pas demander pourquoi. »

La populace finit par s'apercevoir qu'il ne se passait rien et que Rincevent n'était pas en état de lancer des insultes, à plus forte raison du feu magique. Ils s'approchèrent en suivant ses mains d'un œil prudent.

Deuxfleurs et Bethan s'éloignèrent à reculons. Deuxfleurs regarda alentour.

« Bethan ?

— Quoi ? fit-elle sans cesser de fixer le groupe qui avançait.

— C'est un cul-de-sac.

— Vous êtes sûr ?

— Je pense savoir reconnaître un mur de briques quand j'en vois un, dit Deuxfleurs sur un ton de reproche.

— Alors, c'est fini, dit Bethan.

— Vous ne croyez pas que si je leur expliquais... ?

— Non.

— Oh.

— Je ne crois qu'ils soient du genre à écouter des explications », ajouta Bethan.

Deuxfleurs les observa. Il était, rappelons-le, d'ordinaire inconscient des dangers qui le menaçaient. Allant à l'encontre de l'ensemble des expériences humaines, Deuxfleurs croyait que si seulement les gens se parlaient les uns les autres, vidaient quelques verres, échangeaient les portraits de leurs petits-enfants, peut-être même visitaient une exposition ou n'importe quoi, tous les problèmes se résoudraient. Il croyait aussi que les gens étaient fondamentalement bons même s'ils avaient parfois leurs mauvais jours. Ce qui arrivait dans la rue lui faisait à peu près le même effet qu'un gorille dans une verrerie.

Un tout petit bruit se produisit dans son dos, pas tant un bruit du reste qu'un changement dans la texture de l'air.

Les visages devant lui ouvrirent des bouches toutes grandes, firent demi-tour et détalèrent rapidement dans la ruelle pour disparaître.

« Hé ? » fit Bethan qui maintenait toujours debout un Rincevent désormais sans connaissance.

Deuxfleurs s'était retourné et regardait une grande vitrine pleine d'articles bizarres, une porte doublée d'un rideau de perles et une grande enseigne chapeautant le tout, qui maintenant disait, après que tous les caractères eurent fini de gigoter pour se mettre dans le bon ordre :

GAMELLE, WANG, YRXLE!YT, GÂCHERAIDE, CWMGARS ET PATELLE
MAISON FONDÉE EN : ÇA DÉPEND
FOURNISSEURS

Le bijoutier tourna lentement l'or sur la minuscule enclume et donna de petits coups de marteau pour mettre en place un dernier diamant curieusement taillé.

« D'une dent de troll, vous dites ? marmonna-t-il, les yeux plissés sur sa tâche.

— Ch'est cha, dit Cohen, et je vous jachure, vous pouvez garder le rechte. » Il montrait du doigt un plateau de bagues en or.

« Très généreux », murmura le bijoutier, un nain qui savait reconnaître une bonne affaire quand il en voyait une. Il soupira.

« Pas beaucoup d'ouvrage, ches temps-chi ? » fit Cohen. Il jeta un coup d'œil par la petite vitrine et observa un groupe de gens aux regards vides qui se rassemblaient de l'autre côté de la rue étroite.

« Les temps sont durs, oui.

— Qui chont tous ches types avec une étoile chur le front ? » demanda Cohen.

Le bijoutier nain ne leva pas les yeux.

« Des fous, dit-il. D'après eux, je ne devrais pas travailler parce que l'étoile arrive. Je leur dis que les étoiles ne m'ont jamais fait de mal ; j'aimerais en dire autant des gens. »

Cohen hocha pensivement la tête lorsque six hommes se détachèrent du groupe pour s'approcher de la boutique. Ils portaient tout un assortiment d'armes et ils avaient le regard fixe.

« Bijarre, dit Cohen.

— Comme vous le voyez, je suis un nain, reprit le bijoutier. L'une des races magiques, à ce qu'on raconte. Les adorateurs de l'étoile s'imaginent qu'elle ne détruira pas le Disque si nous nous détournons de la magie. Ils vont sans doute me tabasser un peu. C'est comme ça. »

Il leva l'ouvrage qu'il venait de terminer dans une paire de brucelles.

« Je n'ai jamais rien fait d'aussi curieux, dit-il, mais ça n'est pas bête, à mon avis. Comment avez-vous dit que ça s'appelait, déjà ?

— Des dents chiées », répondit Cohen. Il contempla les objets en fer à cheval qui reposaient dans la paume ridée de sa main, puis il ouvrit la bouche et produisit une série de grognements pénibles.

La porte s'ouvrit à la volée. Les hommes entrèrent à grands pas et prirent position le long des murs. Ils hésitaient, en sueur, mais leur chef écarta dédaigneusement Cohen et souleva le nain par sa chemise.

« On te l'a déjà dit hier, demi-portion, fit-il. Tu sors d'ici sur tes jambes ou les pieds devant, pour nous c'est pareil. Alors maintenant, on va vraiment... »

Cohen lui tapota l'épaule. L'homme tourna la tête, irrité.

« Qu'est-ce qu'il veut, le papi ? » gronda-t-il.

Cohen marqua un temps pour permettre à l'autre de bien le regarder, puis il sourit. D'un sourire lent, paresseux, qui dévoilait trois cents bons carats de joaillerie buccale dont l'éclat parut illuminer la pièce.

« Je vais compter jusqu'à trois, dit-il d'un ton amical. Un. Deux. » Il propulsa un genou cagneux dans l'aine de l'homme avec un bruit de viande attendrie, puis il pivota d'un demi-tour pour lui flanquer à toute force son coude dans les reins. Le meneur s'effondra et se retira dans son monde de douleur.

« Trois », lança Cohen au tas qui se tordait par terre. La théorie du combat loyal ne lui était pas étrangère mais il avait depuis belle lurette décidé de se tenir à l'écart de pareilles considérations.

Il regarda les autres hommes et fit étinceler son incroyable sourire.

Ils auraient dû se jeter sur lui. Au lieu de quoi, l'un d'entre eux, que la possession d'un sabre rendait audacieux face à un vieillard désarmé, se glissa en crabe vers lui.

« Oh, non, fit Cohen en agitant les mains. Oh, allons, mon gars, pas comme ça. »

L'homme le reluqua en biais.

« Pas comme quoi ? demanda-t-il, méfiant.

— Tu n'as encore jamais tenu d'épée ? »

L'homme se tourna à demi vers ses collègues pour qu'ils le rassurent.

« Pas beaucoup, non, dit-il. Pas souvent. » Il brandit son arme d'un geste menaçant.

Cohen haussa les épaules. « Je vais peut-être mourir, mais j'aimerais au moins me faire tuer par quelqu'un qui tient son épée comme un guerrier », dit-il.

L'homme regarda ses mains. « Ça m'a l'air correct, fit-il, hésitant.

« — Écoute, fiston, je m'y connais un peu. Je veux dire, approche-toi une seconde et — ça t'ennuie pas au moins ? — voilà, ta main gauche va *là*, autour du pommeau, et la droite se place... c'est ça, *ici*... et la lame... te transperce la jambe. »

Alors que l'homme hurlait et s'attrapait le pied, Cohen lui crocheta l'autre jambe et fit face au reste du groupe.

« Ça devient agaçant, dit-il. Pourquoi vous ne me sautez pas dessus ?

— C'est vrai, ça », dit une voix à hauteur de sa taille. Le bijoutier exhibait une hache très grande et très sale, garantie ajouter le tétanos à la liste des horreurs de la guerre.

Les quatre hommes pesèrent leurs chances et firent retraite vers la porte.

« Et nettoyez-moi ces étoiles ridicules, fit Cohen. Dites à tout le monde que Cohen le Barbare sera très en colère s'il revoit d'autres étoiles comme ça, pigé ? »

La porte se referma en claquant. La seconde suivante, la hache s'abattit dessus avec un bruit sourd, rebondit et tailla une lamelle de cuir au bout de la sandale de Cohen.

« Pardon, fit le nain. Elle était à mon grand-père. Je m'en sers seulement pour couper du bois. »

Cohen se tâta la mâchoire, pour vérifier. Les dents sciées avaient l'air de tenir.

« A votre place, je partirais quand même », dit-il. Mais le nain courait déjà ici et là dans l'atelier pour verser des plateaux de pierres et de métal précieux dans un sac en cuir. Une trousse à outils atterrit dans une poche, un paquet de bijouterie terminée dans une autre, puis avec un grognement le nain passa les mains dans des poignées de chaque côté de sa petite forge et se la hissa à bras-le-corps sur le dos.

« Voilà, dit-il. Je suis prêt.

— Vous venez avec moi ?

« — Jusqu'aux portes de la ville, si ça ne vous ennuie pas. Vous n'allez pas me le reprocher, hein ?

— Non. Mais n'emmenez pas la hache. »

Ils sortirent dans le soleil de l'après-midi et une rue déserte. Lorsque Cohen ouvrit la bouche, des petits éclats de lumière vive éclairèrent les zones d'ombre.

« J'ai des amis à récupérer tout près, dit-il avant d'ajouter : J'espère qu'ils vont bien. C'est quoi, votre nom ?

— Têtanus.

— Il n'y aurait pas dans le coin un endroit où je pourrais... — Cohen prit plaisir à marquer un temps pour savourer les mots — ... où je pourrais m'offrir un steak ?

— Les adorateurs de l'étoile ont fait fermer toutes les auberges. Ils disent que c'est mal de manger et de boire quand...

— Je sais, je sais, fit Cohen. Je crois que je commence à saisir leur tournure d'esprit. Ils ne sont donc partisans de rien ? »

Têtanus s'absorba un moment dans une profonde réflexion. « Si, de mettre le feu, finit-il par dire. Ils sont plutôt bons pour ça. Aux livres, à tout. Ils allument de grands bûchers. »

Cohen était scandalisé.

« Des bûchers de livres ?

— Oui. Horrible, hein ?

— Ça, oui. » Cohen était consterné. Quiconque menait une existence rude à la belle étoile savait la valeur d'un livre bien épais qui faisait au moins une saison de feux de camp quand on arrachait les pages à bon escient. Plus d'une vie avait dû son salut par une nuit de neige à une poignée de petit bois mouillé et un livre bien sec. Si l'on avait envie de fumer et que l'on ne trouvait pas de pipe, un livre faisait toujours l'affaire.

Cohen savait bien que des gens écrivaient dans les livres. Il avait toujours considéré que c'était gâcher du papier en frivolités.

« Si vos amis les ont rencontrés, ils risquent d'avoir des ennuis, j'en ai peur », dit sombrement Têtanus tandis qu'ils remontaient la rue.

Ils passèrent un angle et virent le brasier. On l'avait allumé au milieu de l'artère transversale. Deux fanatiques l'alimentaient avec des livres d'une maison voisine dont on avait enfoncé la porte et barbouillé les murs d'étoiles.

La nouvelle de la présence de Cohen n'avait pas encore beaucoup circulé. Les brûleurs de livres ne lui accordèrent aucune attention lorsqu'il s'avança et s'adossa au mur. Des flocons racornis de papier brûlé bondissaient dans l'air chaud et s'envolaient par-dessus les toits.

« Qu'est-ce que vous faites ? » demanda-t-il.

L'un des deux adorateurs, une adoratrice d'ailleurs, repoussa les cheveux de ses yeux d'une main noire de suie, regarda fixement l'oreille gauche de Cohen et répondit : « On délivre le Disque du mal. »

Deux hommes sortirent du bâtiment et lui jetèrent un regard mauvais, du moins à son oreille gauche.

Cohen tendit la main et saisit le gros livre que portait la femme. Sa couverture était incrustée de curieuses pierres rouges et noires qui formaient un mot, Cohen en était sûr. Il le montra à Têtanus.

« Le *Nécrotélécomnicon*, fit le nain. Les sorciers s'en servent. Ça explique comment entrer en contact avec les morts, je crois.

— C'est comme ça, les sorciers », dit Cohen. Il tâta une page entre le pouce et l'index ; elle était fine et assez douce. L'écriture à l'air organique, plutôt désagréable, ne le gênait pas du tout. Oui, un livre pareil ferait un véritable ami pour celui qui...

« Oui ? Vous désirez ? demanda-t-il à l'un des types étoilés qui lui avait agrippé le bras.

— Il faut brûler tous les livres de magie, dit l'homme, mais d'un ton mal assuré car quelque chose dans les dents de Cohen lui donnait une désagréable impression de bon sens.

— Pourquoi ? fit Cohen.

— Nous avons eu la révélation. » Le sourire de Cohen était à présent aussi large qu'un terrain de jeux de plein air. et sans doute plus dangereux.

« Je crois qu'on devrait y aller », fit nerveusement Têtanus. Un groupe d'adorateurs de l'étoile venait de tourner le coin de la rue derrière eux.

« Moi, je crois que j'aimerais tuer quelqu'un, dit Cohen sans cesser de sourire.

— L'étoile ordonne de purifier le Disque, fit l'homme en s'éloignant à reculons.

— Les étoiles ne parlent pas, dit Cohen qui tira son épée.

— Si vous me tuez, un millier d'autres prendront ma place, dit l'homme, désormais le dos au mur.

— Oui, fit Cohen d'une voix douce, mais le problème n'est pas là, hein ? Le problème, c'est que toi, tu seras mort. »

La pomme d'Adam de l'homme se mit à jouer au yoyo. Il loucha vers l'épée de Cohen, juste dessous.

« C'est un problème, oui, concéda-t-il. Dites... et si on éteignait le feu ?

— Bonne idée », fit Cohen.

Têtanus lui tirailla la ceinture. Les autres adorateurs de l'étoile couraient dans leur direction. Il y en avait un grand nombre, beaucoup étaient armés, et la situation menaçait de devenir un peu plus sérieuse.

Cohen les provoqua par des moulinets de son épée, fit un demi-tour et prit ses jambes à son cou. Même Têtanus avait du mal à le suivre.

« Marrant, hoqueta-t-il alors qu'ils s'engouffraient dans une autre ruelle, j'ai cru... un moment... que vous vouliez rester... pour vous battre.

— C'était... juste... une blague. »

Dès qu'ils débouchèrent dans la lumière à l'autre bout de la rue, Cohen se jeta contre le mur d'angle, dégaina son épée, attendit, la tête de côté, à l'écoute des pas qui approchaient, puis fit décrire à sa lame un mouvement circulaire parfaitement horizontal à hauteur de ventre. On entendit un bruit déplaisant et plusieurs cris, mais Cohen était déjà loin dans la rue et courait de cette foulée curieusement traînante qui ménageait les oignons de ses orteils.

Flanqué d'un Têtanus au pas lourd et à la mine sombre, il bifurqua dans une auberge peinturlurée d'étoiles rouges, bondit sur une table en ne lâchant qu'un faible gémissement de douleur, courut sur toute sa longueur — pendant que, dans une chorégraphie quasi parfaite, Têtanus courait carrément en dessous sans baisser la tête —, sauta au bout, se fraya un chemin à coups de pieds dans les cuisines et ressortit dans une autre ruelle.

Ils bifurquèrent plusieurs fois à droite et à gauche au triple galop et se collèrent dans une encoignure de porte. Accroché au mur, la respiration sifflante, Cohen attendit que s'éteignent les petites lumières bleues et violettes.

« Bon, haleta-t-il, vous nous ramenez quoi ?

— Euh, le service à condiments, dit Têtanus.

— C'est tout ?

— Dites donc, j'étais obligé de passer *sous* la table, non ? Vous n'avez guère fait mieux vous-même. »

Cohen regarda dédaigneusement le petit melon qu'il avait réussi à embrocher dans sa fuite.

« Sont plutôt coriaces par ici, dit-il en mordant à travers l'écorce.

— Vous voulez un peu de sel dessus ? » proposa le nain.

Cohen ne répondit pas. Il s'était immobilisé, le melon à la main, la bouche ouverte.

Têtanus inspecta les environs. Le cul-de-sac où ils se trouvaient était vide, en dehors d'un vieux coffre abandonné contre un mur.

Cohen ne le quittait pas de l'œil. Il tendit le melon au nain sans le regarder et sortit au soleil. Têtanus l'observa qui tournait furtivement autour du coffre, du moins autant que le permettaient des articulations aussi grinçantes qu'un navire filant pleine toile, et qui le piqua une ou deux fois de son épée, mais avec grande précaution, comme s'il s'attendait presque à le voir exploser.

« Ce n'est qu'une malle, lança le nain. Qu'est-ce que ça a d'extraordinaire, une malle ? »

Cohen ne répondit pas. Il s'accroupit péniblement pour examiner de près la serrure sur le couvercle.

« Qu'est-ce qu'il y a dedans ? fit Têtanus.

— Mieux vaut ne pas le savoir, dit Cohen. Aidez-moi à me relever, voulez-vous ?

— Oui, mais ce coffre...

— Ce coffre, dit Cohen, ce coffre, il est... » Il fit un geste vague des mains.

« Oblong ?

— *Fantasmagorique*, fit Cohen d'un ton mystérieux.

— Fantasmagorique ?

— Ouaip.

— Oh », fit le nain. Ils restèrent un moment à regarder le coffre.

« Cohen ?

— Oui ?

— Ça veut dire quoi : fantasmagorique ?

— Eh ben, fantasmagorique, c'est... » Cohen se tut et baissa la tête avec humeur. « Balancez-lui un coup de pied et vous verrez. »

Vlan ! La botte naine à bout ferré de Têtanus atterrit dans le flanc du coffre. Rien ne se produisit.

« Je vois, fit le nain. Fantasmagorique, ça veut dire en bois ?

— Non, dit Cohen. Il... il n'aurait pas dû faire ça.

— Je vois, répéta Têtanus qui ne voyait rien du tout et commençait à regretter que Cohen soit sorti en plein soleil. Il aurait dû partir en courant, d'après vous ?

— Oui. Ou vous mordre la jambe.

— Ah », fit le nain. Il prit Cohen doucement par la main. « Il fait bon, là-bas, à l'ombre, dit-il. Pourquoi vous ne piqueriez pas un petit... »

Cohen se dégagea d'une secousse.

« Il surveille ce mur, dit-il. Regardez, c'est pour ça qu'il ne fait pas attention à nous. Il fixe le mur.

— Oui, bien sûr, dit Têtanus d'un ton apaisant. C'est évident, il surveille le mur avec ses petits yeux...

— Ne soyez pas idiot, il n'a pas d'yeux, le coupa Cohen.

— Pardon, pardon, s'empressa de corriger Têtanus. Il surveille le mur sans avoir d'yeux, pardon.

— Je pense que quelque chose le chiffonne.

— Ben, il y aurait de quoi, non ? dit Têtanus. A mon avis, il veut qu'on s'en aille et qu'on le laisse tranquille.

— Je pense qu'il est perplexe, ajouta Cohen.

— Oui, certainement, il a l'air perplexe », dit le nain. Cohen lui jeta un regard mauvais.

« Qu'est-ce qui vous fait dire ça, vous ? » lança-t-il.

Il parut à Têtanus que les rôles se renversaient injustement. Son regard alla de Cohen au coffre, sa bouche s'ouvrit et se referma.

« Et vous alors, qu'est-ce que vous en savez ? » renvoya-t-il. Mais Cohen n'écoutait pas, de toute façon. Il s'assit devant le coffre — du moins il supposait que la partie percée du trou de serrure représentait l'avant — et l'observa avec attention. Têtanus prit du recul. Curieux, ça, disait son cerveau, mais ce fichu machin me regarde vraiment.

« Bon, fit Cohen, je sais que tous les deux, on ne partage pas les mêmes opinions, mais on essaye de retrouver quelqu'un qu'on aime bien, O. K. ?

— Je... commença Têtanus, qui comprit alors que Cohen s'adressait au coffre.

— Alors dis-moi où ils sont passés. »

Sous les yeux horrifiés de Têtanus, le Bagage étendit ses petites jambes, prit son élan et se précipita contre le mur le plus proche. Des briques d'argile et du mortier poussiéreux explosèrent sous le choc.

Cohen jeta un coup d'œil par la brèche. Il y avait une réserve crasseuse de l'autre côté. Le Bagage, au beau milieu, donnait l'impression d'une extrême confusion.

« Une boutique ! fit Deuxfleurs.

— Y a quelqu'un ? fit Bethan.

— Arrgh, fit Rincevent.

— Je crois qu'on devrait l'asseoir quelque part et lui donner un verre d'eau, dit Deuxfleurs. S'il y a ça ici.

— Il y a tout le reste », dit Bethan.

La pièce disparaissait sous les étagères et les étagères sous des tas de n'importe quoi. Ce qu'on n'avait pas pu y caser pendait en grappes du plafond sombre et indistinct ; des boîtes et des sacs de tout ce qu'on voulait se répandaient sur le sol.

Aucun son ne parvenait du dehors. Bethan regarda autour d'elle et découvrit pourquoi.

« Je n'ai jamais vu autant de marchandises, dit Deuxfleurs.

— Il y en a une dont ils sont en rupture de stock, dit Bethan d'un ton ferme.

— Comment vous le savez ?

— Suffit de regarder. Ils viennent de vendre leurs sorties. »

Deuxfleurs tourna sur lui-même. A la place de la porte et de la vitrine il y avait des étagères pleines de boîtes ; elles avaient l'air d'être là depuis longtemps.

Deuxfleurs assit Rincevent sur une chaise branlante près du comptoir et fureta en hésitant parmi les étagères. Il y avait des boîtes de clous et des brosses à cheveux. Il y avait des briques de savon, décolorées par l'âge. Il y avait des pots empilés contenant des sels de bain déliquescents, auxquels on avait apposé une affichette plutôt triste et suffisante qui proclamait, niant l'évidence, qu'ils constituaient LE CADEAU IDÉAL. Il y avait aussi pas mal de poussière.

Bethan inspecta les étagères de l'autre mur et se mit à rire.

« Regardez-moi ça ! » dit-elle.

Deuxfleurs regarda. Elle tenait un... disons un petit chalet de montagne, mais tout incrusté de coquillages, sur le toit duquel l'« artiste » avait pyrogravé SOUVENIR SPÉCIAL (un toit qui s'ouvrait, bien sûr, pour ranger des cigarettes à l'intérieur, et qui jouait une petite musique).

« Vous avez déjà vu un truc pareil ? » dit-elle.

Deuxfleurs secoua la tête. Sa bouche s'ouvrit toute grande.

« Vous allez bien ? demanda Bethan.

— Je crois que je n'ai jamais rien vu d'aussi beau », dit-il.

Un ronronnement se fit entendre au-dessus d'eux. Ils levèrent la tête.

Un gros globe noir était descendu de l'obscurité du plafond. De petites lumières rouges s'allumaient et s'éteignaient brièvement à sa surface. Tandis qu'ils l'observaient, il tourna sur lui-même et les fixa d'un gros œil de verre. Il était menaçant, cet œil-là. Il donnait l'impression très nette de contempler un spectacle dégoûtant.

« Hello ? » lança Deuxfleurs.

Une tête apparut au-dessus du comptoir. Elle avait l'air en colère.

« J'espère que vous comptez le payer », fit-elle méchamment. Son expression disait qu'elle s'attendait à ce que Rincevent réponde oui mais qu'elle ne le croirait pas.

« Quoi ? Ça ? fit Bethan. Je ne voudrais pas l'acheter même si vous me donniez en plus un plein chapeau de rubis et...

— Moi, je vais l'acheter. Combien ? » s'empressa de proposer Deuxfleurs qui fouilla dans ses poches. Sa mine s'allongea.

« A vrai dire, je n'ai pas d'argent sur moi. Il est resté dans mon Bagage, mais je... »

La tête émit un grognement. Elle disparut sous le comptoir pour ressurgir derrière un présentoir de brosses à dents.

Elle appartenait à un tout petit homme qu'on ne voyait presque pas dans son tablier vert. Il avait l'air dans tous ses états.

« Pas d'argent, fit-il. Vous entrez dans ma boutique...

— On n'a pas fait exprès, dit en hâte Deuxfleurs. On n'avait pas remarqué qu'elle était là.

— Elle n'y était pas, dit Bethan, catégorique. Une boutique magique, hein ? »

Le petit boutiquier hésita.

« Oui, admit-il avec réticence. Un peu.

— Un peu ? fit Bethan. Un peu magique ?

— Un peu beaucoup, alors, concéda-t-il. Bon, d'accord, reconnut-il devant le regard toujours furibond de Bethan. Elle est magique. Je n'y peux rien. Cette foutue porte n'est quand même pas encore apparue avant de disparaître, si ?

— Si, et ce machin au plafond nous embête. »

Il leva les yeux et fronça les sourcils. Puis il s'éclipsa par un petit rideau de perles à demi dissimulé parmi les marchandises. Des cliquètements et des ronronnements se firent entendre puis le globe noir s'évanouit dans l'ombre. Le remplacèrent successivement : un bouquet de fines herbes, un mobile de réclame pour un produit dont Deuxfleurs n'avait jamais entendu parler, apparemment une boisson à prendre avant d'aller au lit, une armure complète et un crocodile empaillé à l'expression de douleur et de surprise plus vraie que nature.

Le boutiquier réapparut.

« Vous préférez ? s'enquit-il.

— Il y a du progrès, dit Deuxfleurs sans conviction. J'aimais mieux les fines herbes. »

A cet instant Rincevent poussa un gémissement. Il était sur le point de se réveiller.

On a avancé trois théories pour expliquer le phénomène des boutiques errantes ou, pour employer le nom communément admis, *tabernæ vagantes*.

La première pose en postulat qu'il y a des milliers et des milliers d'années s'est développée quelque part dans le multivers une race dont l'unique talent était d'acheter à bas prix et de vendre cher. Cette race aurait très vite dirigé un vaste empire galactique, l'Emporium, ainsi qu'elle le nommait, et ses chercheurs de pointe auraient découvert le moyen d'équiper leurs magasins de systèmes de propulsion uniques, capables d'abattre les murs sombres de l'espace lui-même et d'ouvrir de nouveaux marchés immenses. Les mondes de l'Emporium ont depuis longtemps péri dans la fournaise de leur univers particulier, sur une ultime et provocante vente après incendie, mais les boutiques stellaires errantes exercent toujours leur commerce et font leur chemin dans les pages de l'espace-temps comme un ver grignote un roman en trois volumes.

La seconde théorie soutient qu'elles sont l'œuvre d'un Destin obligeant dont le rôle consiste à fournir exactement le bon article au bon moment.

La troisième n'y voit qu'un moyen astucieux de contourner les lois de fermeture dominicale.

Toutes ces théories, aussi différentes soient-elles, ont néanmoins deux points communs : elles expliquent les faits observés et se trompent de bout en bout.

Rincevent ouvrit les yeux et les garda un moment fixés sur le reptile empaillé au plafond. Il aurait préféré voir autre chose après ses rêves agités...

La magie ! Voilà donc à quoi ça ressemblait ! Pas étonnant que les sorciers n'aient guère de goût pour le sexe !

Rincevent savait ce qu'étaient des orgasmes, bien sûr, il en avait connu quelques-uns au cours de sa vie, parfois même en compagnie, mais aucune de ses expériences n'avait ne fût-ce qu'approché cet instant intense et fantastique où chaque nerf de son corps avait charrié un feu blanc-bleu et que la magie pure lui avait jailli des doigts. Ça vous emplissait, ça vous soulevait et vous surfiez au creux de la force déferlante des éléments. Pas étonnant que les sorciers se battent pour s'approprier la puissance...

Et ainsi de suite. Mais c'était le Sortilège dans sa tête qui avait agi, pas Rincevent. Il commençait vraiment à le détester, celui-là. Il était sûr que si le Sortilège n'avait pas effarouché tous les autres qu'il avait essayé d'apprendre, il aurait fait un sorcier tout à fait honorable.

Quelque part dans l'âme meurtrie de Rincevent, le ver de la révolte montra un croc fugitif.

Parfaitement, songea-t-il. A la première occasion, tu retournes dans l'In-Octavo.

Il se redressa sur sa chaise.

« Bon sang, c'est quoi, ici ? fit-il en s'étreignant la tête pour l'empêcher d'exploser.

— Une boutique, dit Deuxfleurs d'un ton lugubre.

— J'espère qu'on y vend des couteaux, parce que j'aimerais bien me couper la tête. » Quelque chose dans l'expression des deux autres en face de lui le dessoûla.

« Je blague, dit-il. Enfin, en grande partie. Qu'est-ce qu'on fait dans ce magasin ?

— On ne peut pas sortir, dit Bethan.

— La porte a disparu », ajouta Deuxfleurs, serviable.

Rincevent se mit debout, encore tremblant.

« Oh, fit-il. C'est une de ces boutiques-là ?

— C'est ça, fit le boutiquier avec irritation. Elle est magique, oui ; elle se balade, oui ; non, je ne vous dirai pas pourquoi...

« — Je peux avoir un verre d'eau, s'il vous plaît ? »

Le boutiquier prit un air outré.

« D'abord pas d'argent, ensuite ils veulent un verre d'eau, jeta-t-il. Alors ça, c'est... »

Bethan grogna et traversa la pièce en direction du petit homme qui tenta de battre en retraite. Trop tard.

Elle le souleva par les bretelles de son tablier et le regarda dans les yeux d'un air mauvais. Malgré ses vêtements déchirés, malgré ses cheveux en désordre, elle symbolisa l'espace d'un instant la femme qui vient de surprendre un homme dont le pouce fait pencher la balance de la vie du mauvais côté.

« Le temps, c'est de l'argent, siffla-t-elle. Je vous donne trente secondes pour lui ramener un verre d'eau. Je pense que c'est une affaire, non ?

— Dites donc, chuchota Deuxfleurs. C'est une vraie terreur quand elle est en colère, hein ?

— Oui, fit Rincevent sans enthousiasme.

— Très bien, très bien, dit le marchand qui n'en menait visiblement pas large.

— Ensuite vous pourrez nous laisser partir, ajouta Bethan.

— D'accord ; je n'étais pas ouvert, de toute manière. Je me suis juste arrêté quelques secondes pour m'orienter et vous avez fait irruption. »

Il passa en maugréant son rideau de perles et revint avec une tasse d'eau.

« Je l'ai lavée tout spécialement », dit-il en évitant le regard de Bethan.

Rincevent jeta un coup d'œil au liquide. Il avait probablement été propre avant qu'on le verse dans la tasse ; maintenant, le boire relevait du génocide pour des milliers de germes innocents.

Il reposa délicatement la tasse.

« A présent, je vais me faire une bonne toilette ! » décréta Bethan, et elle franchit raidement le rideau.

Le commerçant eut un geste vague de la main et lança un regard suppliant à Rincevent et Deuxfleurs.

« Ce n'est pas une mauvaise fille, lui dit Deuxfleurs. Elle va se marier avec un ami à nous.

— Il est au courant ?

— Les affaires ne vont pas fort pour les boutiques stellaires ? » fit Rincevent avec toute la sympathie dont il était capable.

Le petit homme frissonna. « Vous ne le croiriez pas, fit-il. Je veux dire, on apprend à ne pas espérer se faire des mille et des cents, une vente par-ci, par-là, on gagne sa vie, quoi, vous voyez ce que je veux dire ? Mais avec les gens qu'on rencontre de nos jours, ceux qui ont une étoile peinte sur la figure, eh bien, j'ai à peine le temps d'ouvrir le magasin qu'ils me menacent d'y mettre le feu. Trop magique, qu'ils disent. Alors moi, je dis que c'est magique, évidemment, que voulez-vous que je réponde ?

— Il y en a beaucoup comme eux, alors ? dit Rincevent.

— Sur tout le Disque, l'ami. Ne me demandez pas pourquoi.

— Ils croient qu'une étoile va s'écraser sur nous, dit Rincevent.

— C'est vrai ?

— C'est ce que pensent des tas de gens.

— C'est une honte. J'ai fait de bonnes affaires ici. Trop magique, qu'ils disent ! Qu'est-ce qu'il y a de mal dans la magie ? Je voudrais bien le savoir.

— Qu'est-ce que vous allez faire ? demanda Deuxfleurs.

— Oh, m'en aller dans un autre univers, ce n'est pas ça qui manque, répondit le boutiquier d'un ton désinvolte. Merci quand même de m'avoir prévenu pour l'étoile. Je peux vous déposer quelque part ? »

Le Sortilège flanqua un coup de pied dans l'esprit de Rincevent.

« Euh... non, dit-il. Je crois qu'on ferait peut-être mieux de rester. Pour voir la fin, vous comprenez.

— Cette histoire d'étoile, ça ne vous inquiète pas, alors ?

— *L'étoile, c'est la vie, pas la mort*, dit Rincevent.

— Comment ça ?

— Comment quoi ?

— Tu as remis ça ! fit Deuxfleurs qui pointa un doigt accusateur. Tu dis des choses et tu oublies tout de suite que tu les as dites !

— J'ai seulement dit qu'on ferait mieux de rester, répliqua Rincevent.

— Tu as dit que l'étoile, c'était la vie, pas la mort. Tu avais de la friture dans la voix et elle était lointaine. N'est-ce pas ? » Il se tourna vers le commerçant pour confirmation.

« C'est vrai, dit le petit homme. Je crois que ses yeux louchaient un peu, aussi.

— C'est le Sortilège, alors, dit Rincevent. Il essaye de me diriger. Il sait ce qui va arriver, et je crois qu'il veut aller à Ankh-Morpork. Je veux y aller aussi, ajouta-t-il d'un air de défi. Vous pouvez nous y emmener ?

— C'est la grande ville sur l'Ankh ? Qui s'étend dans tous les sens, qui sent les fosses à purin ?

— Elle jouit d'une histoire ancienne et honorable, dit un Rincevent glacial, blessé dans son orgueil civique.

— Ce n'est pas comme ça que tu me l'as décrite, à moi, objecta Deuxfleurs. Tu m'as dit que c'était la seule ville qui commençait à tomber sérieusement en décadence. »

Rincevent parut embarrassé. « Oui, mais enfin, c'est chez moi, vous comprenez ?

— Non, fit le boutiquier, pas vraiment. Moi, je dis toujours que chez soi, c'est là où on accroche son chapeau.

— Euh... non, intervint Deuxfleurs, toujours désireux d'éclairer ses semblables. Là où on accroche son chapeau, c'est un porte-chapeaux. Chez soi, c'est...

— Je vais tout de suite m'occuper de vous ramener », dit précipitamment le boutiquier alors que revenait Bethan. Il la croisa en coup de vent.

Deuxfleurs le suivit.

De l'autre côté du rideau se trouvait une pièce meublée d'un petit lit, d'un fourneau plutôt crasseux et d'une table à trois pieds. Le boutiquier fit alors quelque chose à la table, il y eut un bruit de bouchon sortant à contrecœur d'une bouteille, et un univers emplit la pièce.

« N'ayez pas peur, dit le boutiquier tandis que défilaient les étoiles.

— Je n'ai pas peur, dit Deuxfleurs, les yeux brillants.

— Oh, fit l'autre, un peu contrarié. N'importe comment, ce ne sont que des images générées par le magasin, elles ne sont pas réelles.

— Et vous pouvez le diriger n'importe où ?

— Oh, non, dit le boutiquier, profondément choqué. Il y a toutes sortes de clauses de sécurité ; en définitive, ça ne servirait à rien d'aller quelque part où le revenu net par tête est insuffisant. Et il faut un mur adéquat, évidemment. Ah, voici votre univers. Je l'ai toujours trouvé coquet, un petit bijou. Une universette, comme qui dirait... »

Voici la nuit de l'espace. Les étoiles innombrables luisent comme de la poussière de diamant ou, diraient certains, comme de grosses boules d'hydrogène qui explosent à très grande distance. Mais il y en a qui disent n'importe quoi.

Une ombre commence à masquer le scintillement lointain, une ombre plus noire que l'espace lui-même.

D'ici, elle a l'air aussi beaucoup plus grande car l'espace ne l'est pas vraiment, grand, c'est seulement quelque part où l'on peut être grand. Les planètes sont grandes, mais c'est dans leur nature et il n'y a rien d'extraordinaire à suivre sa nature.

Cette silhouette qui occulte le ciel comme le pied de Dieu n'est pourtant pas une planète.

C'est une tortue de quinze mille kilomètres de long depuis la tête criblée de cratères jusqu'à la queue cuirassée.

Et la Grande A'Tuin, elle, est gigantesque.

D'immenses nageoires se lèvent et s'abaissent pesamment ; elles gauchissent l'espace en d'étranges configurations. Le Disque-monde glisse dans le ciel, telle une nef royale. Mais à présent, même la Grande A'Tuin doit lutter alors qu'elle quitte les profondeurs libres de l'espace pour affronter les pressions lancinantes des hauts-fonds solaires. La magie est ici plus faible, sur le littoral de la lumière. Elle va ainsi progresser pendant encore bien des jours, et le Disque-monde disparaîtra sous les pressions de la réalité.

La Grande A'Tuin le sait, mais la Grande A'Tuin se rappelle avoir déjà accompli la même chose des milliers d'années plus tôt.

Les yeux astrochéloniens ne se concentrent pas sur l'étoile naine qui les éclaire de sa lueur rouge mais sur un petit pan d'espace à côté...

« Oui, mais où sommes-nous ? » demanda Deux-fleurs. Le boutiquier, courbé sur sa table, se contenta de hausser les épaules.

« Je ne pense pas qu'on soit *quelque part*, dit-il. On est dans une incongruité cotangente, je crois. Je peux me tromper. Le magasin sait en général ce qu'il fait.

— Vous voulez dire que vous, vous ne savez pas ?

— J'apprends des petits bouts par-ci, par-là. » Le boutiquier se moucha. « Des fois, j'atterris sur un monde où ils comprennent ces choses-là. » Il tourna deux petits yeux tristes vers Deuxfleurs. « Vous avez une bonne tête, monsieur. Ça ne me gêne pas de vous le dire.

— De me dire quoi ?

— Ce n'est pas une vie, vous savez, de tenir le magasin. On ne reste nulle part, toujours en déplacement, jamais fermé.

— Pourquoi vous n'arrêtez pas, alors ?

— Ah, ben justement, vous voyez, monsieur... je ne peux pas. Je suis sous le coup d'une malédiction, eh oui. C'est terrible. » Il se moucha encore.

« Condamné à tenir un magasin ?

— Éternellement, monsieur, éternellement. Et à ne jamais fermer ! Pendant des centaines d'années ! C'est à cause d'un sorcier, vous voyez. J'ai fait une chose affreuse.

— Dans un magasin ? demanda Deuxfleurs.

— Oh, oui. Je ne me rappelle pas ce qu'il voulait, mais quand il me l'a demandé, j'ai... je lui ai répondu par bruit de bouche qu'on fait en aspirant, vous savez, comme en sifflant, mais à l'envers ? » Il fit une démonstration.

Deuxfleurs avait un air sombre, mais au fond c'était un homme indulgent, toujours prêt à pardonner.

« Je vois, fit-il lentement. Mais tout de même...

— Ce n'est pas tout !

— Oh.

— Je lui ai dit qu'il n'y avait pas de demande pour ça !

— Après lui avoir fait votre bruit de bouche ?

— Oui. J'ai aussi probablement souri.

— Oh là là. Vous ne l'avez pas appelé patron, dites-moi ?

— Ben... peut-être que si.

— Hum.

— Il y a pire.

— Tout de même pas ?

— Si, je lui ai dit que je pouvais le commander pour le lendemain.

— Ça, c'est plutôt bien, dit Deuxfleurs, la seule personne du multivers à laisser les magasins lui commander des articles et à accepter de débourser de grosses sommes d'argent pour dédommager le commerçant du dérangement que lui cause la garde d'un peu de stock en boutique souvent pendant plusieurs heures.

— C'était jour de fermeture l'après-midi, dit le boutiquier.

— Oh.

— Oui, et je l'ai entendu secouer la poignée de porte. J'avais un écriteau à l'entrée, vous savez, qui disait quelque chose comme "Fermé même pour la vente des cigarettes Nécromanciennes", enfin bref, je l'ai entendu cogner et j'ai ri.

— Vous avez ri ?

— Oui. Comme ça : humfhumfhumfblof.

— Ça n'était probablement pas malin de votre part, dit Deuxfleurs en secouant la tête.

— Je sais, je sais. Mon père me le disait tout le temps, il disait : "Ne te mêle pas des affaires de sorciers"... En tout cas, je l'ai entendu crier quelque chose comme quoi je ne fermerais plus jamais, puis tout un tas de mots incompréhensibles, et ensuite le magasin... le magasin... le magasin est devenu *vivant*.

— Et depuis, vous errez tout le temps ?

— Oui. Je me dis que je retrouverai peut-être un jour l'enchanteur et que j'aurai peut-être ce qu'il voulait en stock. En attendant, je passe d'un lieu à un autre...

— Ce n'était pas une chose à faire », dit Deuxfleurs.

Le marchand s'essuya le nez à son tablier. « Merci, dit-il.

— Mais quand même, il n'aurait pas dû vous punir aussi durement, ajouta Deuxfleurs.

— Oh. Oui, bon. » Le boutiquier remit de l'ordre dans son tablier et fit une aussi brave que brève tentative pour se ressaisir. « Enfin, ce n'est pas ça qui va vous emmener à Ankh Morpork, hein ?

— Le plus drôle, dit Deuxfleurs, c'est que j'ai acheté mon Bagage dans une boutique toute pareille. Une autre boutique, je veux dire.

— Oh oui, nous sommes plusieurs, fit le boutiquier qui se retourna vers sa table. Ce sorcier n'avait aucune patience, d'après moi.

— Parcourir éternellement l'univers, rêva Deuxfleurs.

— C'est ça. Remarquez, on économise en impôts locaux.

— Impôts locaux ?

— Oui, c'est... » Le commerçant marqua une pause et plissa le front. « Je ne me rappelle pas bien, ça remonte à si loin. Impôts locaux, impôts locaux...

— Comme impôts de chambre ?

— Ça doit être ça. »

« Attendez... il réfléchit à quelque chose », dit Cohen.

Têtanus leva les yeux d'un air las. C'était bien agréable de rester assis à l'ombre. Il venait de découvrir qu'en voulant fuir une ville de foldingues, il s'en était remis entièrement à un autre aliéné. Il se demanda s'il vivrait pour le regretter.

Il le souhaita avec ferveur.

« Oh, oui, pas de doute, il réfléchit, dit-il amèrement. Ça se voit.

— Je crois qu'il les a trouvés.

— Oh, bien.

— Accrochez-vous à lui.

— Vous êtes fou ? dit Têtanus.

— Je le connais, ce machin, faites-moi confiance. A moins que vous ne préfériez que je vous laisse avec les adorateurs de l'étoile ? Ils aimeraient peut-être avoir une conversation avec vous. »

Cohen se glissa jusqu'au Bagage et bondit dessus à califourchon. Le Bagage n'eut aucune réaction.

« Dépêchez-vous, dit-il. Je crois qu'il va partir. »

Têtanus haussa les épaules et grimpa avec précaution derrière Cohen.

« Oh ? fit-il, et il fait comment pour p... »

Ankh-Morpork !

Perle des cités !

Cette description n'est pas tout à fait exacte, bien entendu — Ankh-Morpork n'était ni ronde ni brillante —, mais même ses pires ennemis reconnaissaient qu'au besoin, on aurait aussi bien pu la comparer à un rebut couvert des sécrétions malades d'un mollusque à l'agonie.

Il y eut de plus grandes cités. Il y en eut de plus riches. Certainement de plus belles. Mais aucune dans le multivers n'égalait Ankh-Morpork pour son odeur.

Les Anciens, qui savent tout des univers et ont respiré les arômes de Calcutta, de !Xrc-! et de Marsport Fœtidum, admettent que même ces exemples parfaits de poésie nasale ne sont que vers de mirliton auprès du bouquet épique d'Ankh-Morpork.

Discourez autant qu'il vous plaira sur l'échalote. Parlez de l'ail. Citez la France. Allez-y. Mais si vous n'avez pas senti Ankh-Morpork par grosse chaleur, vous n'avez rien senti.

Les habitants en sont fiers. Les bons jours, ils sortent leurs chaises pour en profiter. Ils gonflent les joues, se frappent la poitrine et commentent avec entrain ses différentes et subtiles nuances. Ils ont même élevé une statue pour commémorer la fois où les troupes d'un État rival avaient tenté d'investir discrètement la cité par une nuit sombre et qu'elles étaient parvenues au sommet des remparts lorsque, à leur grande horreur, les tampons qui leur bouchaient le nez avaient rendu l'âme. Les riches marchands qui vivent au loin depuis des années se font envoyer des bouteilles spécialement bouchées et cachetées de ce parfum qui leur fait monter les larmes aux yeux.

Ce genre d'effet.

Il n'existe qu'une façon de décrire l'impression que produit l'odeur d'Ankh-Morpork sur le nez de passage, c'est par l'analogie.

Prenez un tissu écossais. Saupoudrez-le de confettis. Éclairez-le au stroboscope.

Maintenant prenez un caméléon.

Posez le caméléon sur le tissu.

Observez-le attentivement.

Compris ?

Ce qui explique qu'au moment où la boutique se matérialisa enfin à Ankh-Morpork Rincevent se redressa droit comme un *i* pour annoncer : « On y est », que Bethan pâlit et que Deuxfleurs, dépourvu de tout odorat, demanda : « Vraiment ? Qu'est-ce que tu en sais ? »

L'après-midi avait été longue. Ils avaient réintégré l'espace réel dans un grand nombre de murs de villes diverses à cause, selon le marchand, du champ magique du Disque qui faisait des siennes et semait partout la pagaïe.

Toutes les villes étaient vides d'habitants et livrées aux bandes errantes des cinglés de l'oreille gauche.

« D'où est-ce qu'ils viennent tous ? » avait fait Deux-fleurs tandis qu'ils fuyaient une nouvelle fois devant la foule.

« Dans chaque personne saine d'esprit il y a un fou qui cherche à sortir, avait dit le boutiquier. J'ai toujours pensé ça. Personne ne devient fou aussi vite qu'une personne parfaitement saine d'esprit.

— Ça n'a pas de sens, avait dit Bethan, ou si ç'en a un, ça ne me plaît pas. »

L'étoile était plus grosse que le soleil. Il n'y aurait pas de nuit ce soir. Sur l'horizon d'en face, le petit soleil du Disque faisait de son mieux pour se coucher normalement, mais toute cette lumière rouge avait pour effet de transformer la ville, déjà pas tellement belle, en un tableau peint par un artiste fanatique défoncé au cirage.

Mais Rincevent était chez lui. Il scruta la rue dans les deux sens et se sentit presque heureux.

Au fond de son esprit le Sortilège faisait du raffut, mais il l'ignora. C'était peut-être vrai que la magie s'affaiblissait à mesure que l'étoile s'approchait, ou peut-être avait-il le Sortilège dans la tête depuis si longtemps qu'il s'était forgé une sorte d'immunité psychique, mais il s'aperçut qu'il pouvait lui résister.

« On est du côté des docks, déclara-t-il. Sentez-moi cette odeur de mer !

— Oh, fit Bethan qui s'appuya au mur, je la sens !

— C'est de l'ozone, ça, dit Rincevent. De l'air qui a du caractère, ça. » Il prit une profonde inspiration.

Deuxfleurs se tourna vers le marchand.

« Eh bien, je vous souhaite de retrouver votre enchanteur, dit-il. Navré de ne vous avoir rien acheté, mais tout mon argent est resté dans mon Bagage, voyez-vous. »

Le marchand lui fourra quelque chose dans la main.

« Un petit cadeau, dit-il. Vous en aurez besoin. »

Il réintégra en flèche son magasin, la clochette tintinnabula, la pancarte disant REPASSEZ CE SOIR POUR LES SANGSUES À CENT SOUS claqua tristement contre la porte, et la boutique disparut dans la brique comme si elle n'avait jamais existé. Deuxfleurs tendit prudemment la main et toucha le mur. Il avait du mal à y croire.

« Qu'est-ce qu'il y a dans le sac ? » demanda Rincevent.

C'était un sac de papier brun épais, muni de poignées en ficelle.

« S'il lui pousse des pattes, je ne veux pas en entendre parler », dit Bethan.

Deuxfleurs jeta un coup d'œil à l'intérieur et sortit le contenu.

« C'est tout ? fit Rincevent. Une petite maison avec des coquillages dessus ?

— C'est très utile, se défendit Deuxfleurs. On peut garder des cigarettes dedans.

— Comme si tu avais besoin de cigarettes ! fit Rincevent.

— Moi, j'aurais préféré une bouteille d'huile solaire bien efficace, dit Bethan.

— Allez, venez », lança Rincevent qui partit dans la rue. Les autres lui emboîtèrent le pas.

Deuxfleurs se dit que quelques mots de réconfort à Bethan s'imposaient, une petite discussion pleine de tact qui lui changerait les idées, selon son expression, et qui la dériderait malgré son jeune âge.

« Ne vous inquiétez pas, dit-il. Il y a encore une petite chance que Cohen soit toujours vivant.

— Oh, je suis bien sûre qu'il est en vie, répliqua-t-elle en attaquant les pavés du talon comme si elle nourrissait une rancœur personnelle contre chacun d'eux. On ne vit pas jusqu'à quatre-vingt-sept ans dans sa profession si on passe son temps à mourir. Mais il n'est pas ici.

— Ni mon Bagage, dit Deuxfleurs. Évidemment, ce n'est pas la même chose.

— Vous croyez que l'étoile va entrer en collision avec le Disque ?

— Non, répondit Deuxfleurs avec assurance.

— Pourquoi ça ?

— Parce que Rincevent ne le croit pas. »

Elle le regarda, étonnée.

« Vous voyez, poursuivit le touriste, savez-vous ce qu'on fait avec le goémon de la mer ? »

Bethan, élevée dans les plaines du Vortex, ne connaissait la mer que dans les histoires et avait décidé qu'elle ne l'aimait pas. Elle avait l'air ahurie.

« On le mange ?

— Non, on l'accroche dehors à la porte et il dit s'il va pleuvoir. »

Bethan avait appris autre chose : il n'était pas vraiment utile de chercher à comprendre ce que disait Deuxfleurs, et il n'y avait rien d'autre à faire que de suivre au plus près la conversation et d'espérer sauter en marche au prochain carrefour.

« Je vois, dit-elle.

— Rincevent est pareil, voyez-vous.

— Comme le goémon.

— Oui. S'il y avait quoi que ce soit à craindre, Rincevent aurait peur. Il n'a pas peur. L'étoile, c'est sans doute la seule chose dont je ne l'ai jamais vu avoir peur. S'il ne s'inquiète pas, alors croyez-moi, c'est qu'il n'y a pas à s'inquiéter.

— Il ne va pas pleuvoir ? fit Bethan.

— Eh bien, non. Métaphoriquement parlant.

— Oh. » Bethan décida de ne pas demander ce que "métaphoriquement" signifiait, au cas où ça aurait un rapport avec le goémon.

Rincevent se retourna.

« Allez, venez, dit-il. On n'est plus très loin maintenant.

— On va où ? demanda Deuxfleurs.

— A l'Université Invisible, évidemment.

— Est-ce bien raisonnable ?

— Probablement pas, mais je vais quand même... » Rincevent s'arrêta, un masque de douleur lui couvrit la figure. Il porta la main à ses oreilles et gémit.

« Le Sortilège te fait mal ?

208

— Aargh.

— Essaye de chantonner. »

Rincevent grimaça. « Je vais m'en débarrasser, de ce machin, dit-il d'une voix empâtée. Il va retourner à sa place dans le livre. Je veux récupérer ma tête !

— Mais alors... » commença Deuxfleurs sans aller plus loin. Ils l'entendaient tous : une mélopée lointaine et les piétinements d'une foule nombreuse.

« Vous croyez que ce sont les adorateurs ? » fit Bethan.

C'étaient eux. Les marcheurs de tête tournèrent le coin de la rue à une centaine de mètres, derrière une bannière blanche en lambeaux ornée d'une étoile à huit branches.

« Il ne sont pas tout seuls, dit Deuxfleurs. Il y en a plein d'autres ! »

La foule les balaya sur son passage. Un instant plus tôt ils se trouvaient dans une rue déserte, et maintenant une marée humaine les emportait de force à travers la ville.

La lumière des torches tremblotait doucement sur les parois humides des tunnels tout en dessous de l'Université au passage à la queue leu leu des maîtres des huit ordres de la sorcellerie.

« Au moins, il fait frais là-dessous dit l'un.

— On ne devrait pas y être, là-dessous. »

Trymon, qui menait le groupe, ne disait rien. Mais il réfléchissait dur. Il pensait au flacon d'huile passé dans sa ceinture et aux huit clés que portaient les sorciers, huit clés qui s'adapteraient aux huit serrures qui enchaînaient l'In-Octavo à son lutrin. Il pensait que les vieux sorciers qui sentent la magie s'enfuir se préoccupent surtout de leurs problèmes personnels et sont peut-être moins vigilants qu'ils ne le devraient. Il pensait que dans quelques minutes, l'In-Octavo, la plus grande concentration de magie du Disque, serait entre ses mains.

Malgré la fraîcheur du tunnel, il se mit à transpirer.

Ils arrivèrent devant une porte doublée de plomb, encastrée directement dans la pierre. Trymon prit une lourde clé — une bonne et honnête clé de fer, pas comme celles tarabiscotées et déroutantes qui allaient lui livrer l'In-Octavo —, envoya une giclée d'huile dans la serrure, introduisit la clé, la tourna. La serrure s'ouvrit dans un grincement de protestation.

« Nous sommes tous d'accord ? » demanda Trymon. Une série de grognements vaguement affirmatifs lui répondirent.

Il poussa la porte.

Un violent courant d'air épais et plus ou moins gras les enveloppa. Des pépiements aigus et désagréables emplirent l'atmosphère. De toutes petites étincelles de feu octarine flamboyèrent sur les nez, au bout des ongles, dans les barbes.

Les sorciers, tête baissée pour affronter la tempête de magie diffuse qui s'échappait de la salle, forcèrent le passage. Des silhouettes à demi formées ricanaient et voltigeaient autour d'eux : les créatures des dimensions de la Basse-Fosse cherchaient assidûment (à l'aide de choses qui passaient pour des doigts uniquement parce qu'au bout de leurs bras) une entrée non gardée pour pénétrer dans le cercle de lumière qu'on tenait pour l'univers de l'ordre et de la raison.

Même en cette période difficile pour tout ce qui se rapportait à la magie, même dans cette cave conçue pour en réduire toutes les vibrations, l'In-Octavo crépitait encore de puissance.

Nul besoin de torches. Il emplissait la pièce d'une lumière terne, lugubre, qui n'était pas à franchement parler de la lumière mais son inverse ; l'obscurité n'est pas l'inverse de la lumière, elle n'en est que l'absence, et ce qu'irradiait le livre, c'était la lumière qui se trouve de l'autre côté de l'obscurité, la lumière fantastique.

Elle brillait d'une couleur violette plutôt décevante.

Ainsi qu'il a déjà été dit, l'In-Octavo était enchaîné à un lutrin sculpté en forme de quelque chose de vaguement avien, légèrement reptilien et horriblement vivant. Deux yeux brillants où couvait la haine dévisageaient les sorciers.

« Je l'ai vu bouger, dit l'un d'eux.

— On ne risque rien tant qu'on ne touche pas au livre », répondit Trymon. Il tira un rouleau de parchemin de sa ceinture et le déroula.

« Vous, là, approchez votre torche, dit-il, *et puis éteignez-moi cette cigarette !* »

Il attendit l'explosion furieuse d'orgueil outragé. Mais rien ne vint. Au lieu de quoi, le mage incriminé se retira le mégot des lèvres avec des doigts tremblants et l'écrasa par terre.

Trymon exultait. Ainsi donc, songeait-il, ils font ce que je leur dis. Pour l'instant seulement, peut-être... mais ça me suffit.

Il examina l'écriture en pattes de mouche d'un sorcier mort depuis longtemps.

« Bon, dit-il, voyons voir : *Pour Apayser La Dycte Chose Quy Est La Gardyenne...* »

La foule déferla sur l'un des ponts qui reliaient Morpork à Ankh. Le fleuve en dessous, turgide dans le meilleur des cas, n'était plus qu'un simple filet d'eau fumante de vapeur.

Le pont tremblait plus qu'il n'aurait dû sous leurs pieds. D'étranges rides parcoururent les restes boueux du fleuve. Quelques tuiles glissèrent du toit d'une maison voisine.

« C'était quoi ? » fit Deuxfleurs.

Bethan tourna la tête et hurla.

L'étoile se levait. Tandis que le soleil du Disque filait se mettre à couvert sous l'horizon, la grosse boule boursouflée de l'étoile monta lentement dans le ciel jusqu'à surplomber entièrement de plusieurs degrés le bord du monde.

Ils tirèrent Rincevent à l'abri d'une encoignure de porte. La foule les remarqua à peine et poursuivit sa course, aussi terrifiée qu'un troupeau de lemmings.

« Il y a des taches sur l'étoile, dit Deuxfleurs.

— Non, fit Rincevent. Ce sont... des machins. Qui tournent autour de l'étoile. Comme le soleil tourne autour du Disque. Mais ils sont tout près parce que... parce que... » Il s'arrêta. « Je le sais presque !

— Tu sais quoi !

— Faut que je me débarrasse de ce sortilège !

— C'est par où, l'Université ? demanda Bethan.

— Par là ! répondit Rincevent qui tendit le doigt dans le prolongement de la rue.

— Elle doit avoir beaucoup de succès. C'est là que tout le monde se rend.

— Je me demande pourquoi, fit Deuxfleurs.

— Mon petit doigt me dit que ce n'est pas pour s'inscrire aux cours du soir, répliqua Rincevent. »

En fait, l'Université Invisible était assiégée, du moins ses locaux qui débordaient dans les dimensions courantes, celles de tous les jours. La populace devant ses portes se répartissait *grosso modo* en deux tendances qui réclamaient soit : a) que les sorciers arrêtent de lambiner et se débarrassent de l'étoile ; soit — et c'était l'exigence qui avait la faveur des adorateurs de l'étoile : b) qu'ils cessent leurs activités et se suicident en bon ordre pour ainsi purifier le Disque du fléau de la magie et détourner la terrible menace qui emplissait le ciel.

Les sorciers de l'autre côté des murs n'avaient aucune idée sur la façon de réaliser a) ni aucune envie d'en venir au b), et nombre d'entre eux avaient en fait opté pour c), qui consistait essentiellement à s'esquiver par des petites portes dérobées et à se faire la belle sur la pointe des pieds le plus loin possible, sinon au plus vite.

Les sorciers avaient canalisé ce qui restait encore de magie fiable dans l'Université pour consolider les grandes portes. C'était peut-être bien beau, ils s'en rendaient compte, et spectaculaire d'avoir tout un jeu de portes fermées par la magie, mais les installateurs auraient dû penser à les équiper d'une espèce de système auxiliaire d'urgence tel que, par exemple, une paire de bons verrous de fer ordinaires, moins spectaculaires, eux.

Sur la place à l'extérieur des portes on avait allumé plusieurs grands feux, davantage pour l'effet qu'autre chose car la chaleur de l'étoile était torride.

« Mais on distingue encore les étoiles, dit Deuxfleurs, les autres étoiles, j'entends. Les petites. Dans un ciel tout noir. »

Rincevent l'ignora. Il regardait les portes. Un groupe d'adorateurs et de citoyens s'efforçaient de les abattre.

« Aucune chance, dit Bethan. On n'entrera jamais. Où vous allez ?

— Faire un tour », dit Rincevent. Il s'engageait d'un pas décidé dans une rue latérale.

Ils croisèrent un ou deux émeutiers francs-tireurs, essentiellement occupés à démolir des magasins. Rincevent n'y fit pas attention mais suivit le mur jusqu'à longer une ruelle sombre qui dégageait l'odeur habituelle autant que malheureuse de toutes les ruelles du monde.

Il entreprit ensuite d'examiner de près la maçonnerie. Le mur faisait ici six mètres de haut et son sommet se hérissait de cruelles pointes de métal.

« Il me faut un couteau, dit-il.

— Vous voulez vous creuser un passage ? fit Bethan.

— Trouvez-moi un couteau, c'est tout », répliqua Rincevent. Il se mit à taper doucement sur des pierres.

Deuxfleurs et Bethan s'entre-regardèrent et haussèrent les épaules. Quelques minutes plus tard ils ramenaient un assortiment de couteaux ; Deuxfleurs avait même réussi à dénicher une épée.

« On n'a eu qu'à se servir, dit Bethan.

— Mais on a laissé de l'argent, précisa Deuxfleurs. Enfin, on aurait laissé de l'argent si on en avait eu...

— Alors il a insisté pour écrire un billet », ajouta Bethan d'une voix lasse.

Deuxfleurs se redressa de toute sa taille, ce qui ne changeait pas grand-chose.

« Je ne vois aucune raison... commença-t-il froidement.

— Oui, oui, dit Bethan qui s'assit d'un air triste. Je le sais bien. Rincevent, tous les magasins ont été défoncés, il y avait une bande de gens de l'autre côté de la rue qui fauchaient des instruments de musique, incroyable, non ?

— Ouais, fit Rincevent qui saisit un couteau et en éprouva la lame d'un doigt songeur. Des violes à l'étalage, quoi ! »

Il enfonça la lame dans le mur, fit levier et recula au moment où une lourde pierre se détachait et tombait. Il leva la tête, comptant à voix basse, et sortit un autre moellon de sa cavité.

« Comment tu as réussi ça ? demanda Deuxfleurs.

— Fais-moi donc la courte échelle, tu veux ? » répondit Rincevent. Un instant plus tard, les pieds calés dans les trous qu'il avait dégagés, il reprenait sa manœuvre à mi-chemin du sommet.

« C'est comme ça depuis des siècles, laissa-t-il tomber. Certaines pierres n'ont pas reçu de mortier. Une entrée secrète, vous comprenez ? Gare dessous ! »

Un autre moellon alla s'écraser sur les pavés.

« Les étudiants ont combiné ça il y a longtemps, dit Rincevent. Pratique pour sortir et rentrer après l'extinction des feux.

— Ah, fit Deuxfleurs, je vois. On faisait le mur pour aller boire, chanter et réciter des vers dans des tavernes illuminées, c'est ça ?

— Presque ça, sauf que les verres, on les sifflait plutôt que de les chanter ou de les réciter. En principe, deux ou trois de ces pointes ne tiennent pas... » Il y eut un bruit de métal.

« Ce n'est pas très haut de ce côté-ci, fit sa voix au bout de quelques secondes. Alors, venez. Si ça vous dit. »

Et ainsi, Rincevent, Deuxfleurs et Bethan pénétrèrent-ils dans l'Université Invisible.

Ailleurs sur le campus...

Les huit sorciers introduisirent leurs clés et, après maints échanges de regards inquiets, les tournèrent. Un tout petit bruit sec se fit entendre lorsque le mécanisme s'ouvrit en coulissant.

L'In-Octavo n'avait plus de chaînes. Une faible lumière octarine joua sur sa reliure.

Trymon tendit la main et s'en empara ; aucun des autres n'éleva d'objection. Il se sentit des picotements dans le bras.

Il se tourna vers la porte. « Maintenant, à la Grande Salle, mes frères, dit-il, si vous permettez que je passe devant... »

Il n'y eut pas d'objection.

Il atteignit la porte, l'In-Octavo serré sous son bras. Le livre paraissait chaud et comme hérissé d'épines.

A chaque pas Trymon s'attendait à un cri, une protestation, mais rien ne vint. Il dut faire appel à toute sa maîtrise de soi pour se retenir de rire. C'était plus facile qu'il ne l'aurait cru.

Les autres n'avaient traversé que la moitié du cul de basse-fosse claustrophobique, et Trymon atteignait déjà la porte. Ils avaient peut-être remarqué quelque chose dans le port de ses épaules, mais c'était trop tard parce qu'il avait franchi le seuil, agrippé la poignée, claqué le battant, tourné la clé, arboré lé sourire.

Il repartit tranquillement par le corridor en ignorant les cris de rage des sorciers qui venaient de découvrir qu'il est impossible de prononcer des sortilèges dans une pièce conçue pour rester imperméable à la magie.

L'In-Octavo se tortilla, mais Trymon le tenait ferme. Il courait à présent et rejetait de son esprit les sensations horribles sous son bras à mesure que le livre se modifiait pour prendre des formes poilues, squelettiques et hérissées de piquants. Sa main s'engourdit. Les faibles pépiements qu'il entendait s'amplifièrent et il perçut d'autres sons par-derrière, polissons, aguicheurs, des sons produits par des voix appartenant à des horreurs inimaginables qu'il n'imaginait que trop bien. Alors qu'il traversait au pas de course la Grande Salle et grimpait l'escalier principal, les ombres se mirent à bouger, à se reformer, à l'envelopper, et il prit aussi conscience de quelque chose qui le suivait, quelque chose aux jambes véloces qui se déplaçait à une vitesse obscène. De la glace apparut sur les murs. Les ouvertures de portes se jetaient vers lui sur son passage en trombe. Sous ses pieds, l'escalier se mit à ressembler à une langue...

Ce n'était pas pour rien que Trymon avait passé de longues heures à l'Université dans le curieux équivalent d'un gymnase pour développer ses muscles mentaux. Il savait qu'il ne fallait pas se fier aux sens car ils peuvent être abusés. Les marches sont là, quelque part... il faut *vouloir* qu'elles soient là, leur ordonner d'exister pendant que tu montes et, mon garçon, mieux vaut réussir ton coup. Parce que ce n'est pas que dans ton imagination.

La Grande A'Tuin ralentit.

De ses nageoires à la taille de continents, la tortue céleste lutta contre l'attraction de l'étoile et attendit.

L'attente ne serait pas très longue...

Rincevent se glissa dans la Grande Salle. Quelques torches y brûlaient et elle donnait l'impression d'avoir été préparée en vue d'une quelconque cérémonie magique. Mais on avait renversé les chandeliers rituels, les octogrammes intriqués tracés à la craie sur le sol étaient en partie effacés comme si quelque chose avait dansé dessus, et l'atmosphère dégageait une odeur désagréable, même pour les nez peu délicats d'Ankh-Morpork. Elle contenait une pointe de soufre, mais ça cachait quelque chose de pire. Ça sentait le fond d'un étang.

Un fracas s'éleva au loin, suivi de nombreux cris.

« On dirait que les portes ont cédé, commenta Rincevent.

— Sortons d'ici, fit Bethan.

— Les caves sont de ce côté, dit Rincevent qui franchit une porte voûtée.

— *Là-dessous ?*

— Oui. Vous préférez rester ici ? »

Il décrocha une torche de son support mural et commença de descendre l'escalier.

Après quelques volées de marches les lambris disparurent des parois et firent place à la pierre brute. Ici et là on avait maintenu de lourdes portes ouvertes par des cales.

« J'ai entendu quelque chose », dit Deuxfleurs.

Rincevent tendit l'oreille. Du bruit semblait en effet monter des profondeurs sous eux. Rien d'inquiétant. On aurait dit un tas de gens qui cognaient sur une porte et criaient : « De l'huile ! »

« Il ne s'agit pas de ces Choses des dimensions de la Basse-Fosse dont vous nous avez parlé, hein ? fit Bethan.

— Elles ne jurent pas comme ça, dit Rincevent. Venez. »

Ils se hâtèrent le long des passages humides, suivirent la direction des cris d'imprécation et des grosses toux sèches, plutôt rassurantes d'ailleurs ; quiconque respirait aussi péniblement, se dirent les trois intrus, ne pouvait représenter un danger.

Ils finirent par atteindre une porte dans un renfoncement. Elle paraissait de taille à résister à la mer. Elle avait un tout petit judas.

« Hé ! » brailla Rincevent. Ça ne servait pas à grand-chose mais il n'avait rien trouvé de mieux.

Le silence se fit soudain. Puis une voix de l'autre côté de la porte demanda, très lentement : « Qui c'est, là, dehors ? »

Rincevent reconnut la voix. Elle l'avait plus d'une fois brutalement tiré de ses rêveries pour le plonger dans la terreur durant les chauds après-midi de cours, des années auparavant. Il s'agissait de Lemuel Panter, qui s'était jadis personnellement chargé d'enfoncer de force dans la tête du jeune Rincevent les rudiments de l'invocation et de la lecture dans les boules de cristal. Il se souvenait de ses yeux en trous de vrille dans une figure porcine et de sa voix qui disait : « Et maintenant, monsieur Rincevent va venir au tableau nous dessiner le symbole en question » ; il se souvenait de son calvaire interminable pour gagner le devant de la classe qui attendait tandis qu'il s'efforçait désespérément de retrouver ce que la voix monotone avait débité cinq minutes plus tôt. Même aujourd'hui, sa gorge se desséchait de terreur et de culpabilité diffuse. Il n'y manquait que les dimensions de la Basse-Fosse.

« S'il vous plaît, m'sieur, c'est moi, m'sieur, Rincevent, m'sieur », couina-t-il. Il vit Deuxfleurs et Bethan qui le fixaient, les yeux ronds, et il toussa. « Oui, ajouta-t-il de la voix la plus grave qu'il réussit à prendre. Voilà qui c'est. Rincevent. Parfaitement. »

Il y eut un concert de murmures de l'autre côté de la porte.

« *Rincevent ?*

— *Prince qui ?*

— *Je me souviens d'un gars qui n'était pas...*

— *Le Sortilège, vous vous rappelez ?*

— *Rincevent ? »*

Une pause. Puis la voix : « Je suppose que la clé n'est pas dans la serrure, hein ?

— Non, fit Rincevent.

— *Qu'est-ce qu'il a dit ?*

— *Il a dit non.*

— *C'est bien de lui.*

— Euh... qui est à l'intérieur ? demanda Rincevent.

— Les maîtres de la Sorcellerie, dit la voix avec hauteur.

— Qu'est-ce que vous faites là ? »

Une nouvelle pause, puis une conférence de chuchotements embarrassés.

« Nous... euh... avons été enfermés, dit la voix avec réticence.

— Comment ça ? Avec l'In-Octavo ? »

Chuchotis, chuchotas.

« L'In-Octavo, à vrai dire, n'est plus ici, à vrai dire, reprit lentement la voix.

— Oh. Mais vous, vous y êtes ? fit Rincevent aussi poliment que possible tout en souriant comme un nécrophile dans une morgue.

— Il semble que ce soit le cas.

— On peut faire quelque chose pour vous ? demanda Deuxfleurs d'une voix anxieuse.

— Vous pourriez essayer de nous faire sortir.

— Est-ce qu'on peut crocheter la serrure ? demanda Bethan.

— Pas la peine, dit Rincevent. Parfaitement inviolable.

— Je pense que Cohen y serait arrivé, dit Bethan, sincère. Où qu'il soit.

« — Le Bagage aurait tôt fait de la défoncer, renchérit Deuxfleurs.

— Enfin, c'est comme ça, dit Bethan. Sortons respirer l'air frais. Plus frais en tout cas. » Elle fit volte-face pour s'en aller.

« Attendez, attendez, fit Rincevent. C'est toujours pareil, hein ? Ce vieux Rincevent est incapable de la moindre idée, pas vrai ? Oh, non, ce n'est qu'un bouche-trou, voilà. Flanquez-lui donc un coup de pied au passage. Ne comptez pas sur lui, c'est...

— D'accord, fit Bethan. On vous écoute, alors.

— ... une nullité, un raté, rien qu'un... quoi ?

— Comment allez-vous ouvrir la porte ? » demanda Bethan.

Rincevent la regarda, bouche bée. Puis il regarda la porte. Elle était vraiment très solide et la serrure se donnait un air supérieur.

Mais il était déjà entré, une fois, il y avait longtemps. L'étudiant Rincevent avait poussé la porte qui s'était ouverte, et un instant plus tard le Sortilège lui avait sauté dans la tête et gâché l'existence.

« Écoute, fit une voix de l'autre côté de la porte, aussi aimablement que possible. Tu vas nous chercher un sorcier, tu es un brave garçon. »

Rincevent prit une profonde inspiration.

« Reculez, grinça-t-il.

— Quoi ?

— Trouvez quelque chose pour vous cacher derrière, aboya-t-il d'une voix à peine tremblante. Vous aussi, dit-il à Bethan et Deuxfleurs.

— Mais vous ne pouvez pas...

— Je ne rigole pas !

— Il ne rigole pas, confirma Deuxfleurs. Cette petite veine sur le côté de son front, vous savez, quand elle bat comme ça, eh bien...

— La ferme ! »

Rincevent leva un bras mal assuré et le tendit vers la porte.

Le silence était total.

Oh dieux, songea-t-il, qu'est-ce qui se passe, maintenant ?

Dans les ténèbres au fond de son esprit, le Sortilège remua, inquiet.

Rincevent essaya de se mettre au diapason, un truc comme ça, avec le métal de la serrure. S'il pouvait semer la zizanie dans ses atomes et qu'ils se désolidarisent...

Rien ne se produisit.

Il déglutit péniblement et dirigea son attention vers le bois : vieux et presque fossilisé ; il ne brûlerait probablement pas, même imbibé d'huile et jeté dans un fourneau. Il essaya malgré tout et tenta d'expliquer aux vieilles molécules qu'elles devaient s'efforcer de sautiller pour se réchauffer...

Dans le silence tendu de son esprit, il regarda méchamment le Sortilège qui prit un air penaud.

Il considéra l'espace qui entourait le battant, se demanda s'il ne pourrait pas le modifier, lui donner des formes bizarres pour expédier la porte carrément dans un autre ensemble de dimensions.

La porte ne bougea pas, solide et provocante.

Il était en nage et recommençait en esprit le parcours interminable vers le tableau devant la classe rigolarde. Il se tourna à nouveau désespérément vers la serrure. Elle devait être faite de petits bouts de métal, pas très lourds...

Par le judas lui parvinrent de très légers bruits : ceux de sorciers qui se décrispaient et secouaient la tête.

Quelqu'un chuchota : « *Je vous avais dit...* »

Un faible grincement se fit entendre, suivi d'un cliquetis.

Le visage de Rincevent était un masque. La sueur lui dégoulinait du menton.

Un autre cliquetis, puis le grincement de broches récalcitrantes. Trymon avait huilé la serrure, mais la rouille et la poussière séculaire avaient bu l'huile, et le seul moyen pour un sorcier de déplacer quelque chose par magie, à moins de s'aider d'une force annexe, c'est d'utiliser le levier de son propre esprit.

Rincevent faisait de gros efforts pour empêcher son cerveau de lui ressortir par les oreilles.

La serrure ferrailla. Des tiges de métal fléchirent dans des cannelures rongées, cédèrent, poussèrent des leviers.

Les leviers cliquetèrent, des crans s'enclenchèrent. Un long grincement s'échappa qui laissa Rincevent sur les genoux.

La porte s'ouvrit sur des gonds à la peine. Les sorciers se glissèrent prudemment hors de la cave. Deuxfleurs et Bethan aidèrent Rincevent à se remettre debout. Il chancelait, le teint blême.

« Pas mal, fit l'un des maîtres en examinant la serrure. Un peu lent, peut-être.

— Laissez tomber ! jeta Jiglad Wert. Vous trois, là, vous avez croisé quelqu'un en descendant ?

— Non, répondit Deuxfleurs.

— On a volé l'In-Octavo. »

Rincevent redressa brusquement la tête. Ses yeux accommodèrent.

« Qui ça ?

— Trymon... »

Rincevent déglutit. « Grand ? fit-il. Blond, un peu l'air d'un furet ?

— Maintenant que vous m'y faites penser...

— Il était dans ma classe, le coupa Rincevent. Tout le monde disait qu'il irait loin.

— Il ira beaucoup plus loin s'il ouvre le livre, dit un des sorciers qui se roulait vite fait une cigarette entre des doigts tremblants.

« — Pourquoi donc ? demanda Deuxfleurs. Qu'est-ce qui va se passer ? »

Les sorciers se regardèrent les uns les autres.

« C'est un ancien secret, transmis de mage à mage, on ne peut pas le divulguer aux non-initiés, dit Wert.

— Oh, allez, fit Deuxfleurs.

— Ah, bah, ça n'a probablement plus d'importance. Un seul esprit ne peut contenir tous les sortilèges. Il va se détraquer et laisser un trou.

— Quoi ? Dans sa tête ?

— Hem. Non. Dans la structure de l'univers, dit Wert. Trymon se croit peut-être capable de maîtriser tout seul... »

Ils sentirent le bruit avant de l'entendre. Il prit naissance dans la pierre par une lente vibration, puis monta soudain en une plainte acérée qui franchissait les tympans pour s'enfoncer directement dans le cerveau. Il ressemblait à une voix humaine qui chantait, ou qui psalmodiait, ou qui criait, mais qui recelait des harmoniques plus profondes et plus horribles.

Les sorciers pâlirent. Puis, comme un seul homme, ils se retournèrent et se précipitèrent à l'assaut des marches.

Il y avait foule à l'extérieur du bâtiment. Des gens tenaient des torches, d'autres avaient cessé d'entasser du petit bois autour des murs. Mais tout le monde avait les yeux levés vers la Tour de l'Art.

Les sorciers se frayèrent un chemin au travers des corps indifférents et firent volte-face pour regarder en l'air.

Le ciel était plein de lunes. Chacune trois fois plus grande que celle du Disque, et chacune dans l'ombre à l'exception d'un croissant rose qui captait la lumière de l'étoile.

Mais au premier plan le sommet de la Tour de l'Art était le théâtre d'une furieuse agitation. On apercevait fugitivement des formes à l'intérieur, des formes qui n'avaient rien de rassurant. Le son s'était à présent changé en un bourdonnement de guêpe, amplifié un million de fois.

Certains sorciers se laissèrent tomber à genoux.

« Il a réussi, dit Wert en secouant la tête. Il a ouvert une brèche.

— Ces choses, là, ce sont des démons ? demanda Deuxfleurs.

— Oh, des démons ! fit Wert. Ce serait une partie de plaisir comparé à ce qui va tenter de passer par la brèche.

— Pire que tout ce qu'on peut imaginer, dit Panter.

— Je suis capable d'imaginer des horreurs, dit Rincevent.

— Celles-là sont pires.

— Oh.

— Et qu'est-ce que vous proposez comme solution ? » lança une voix claire.

Ils se retournèrent. Bethan les fustigeait du regard, bras croisés.

« Pardon ? fit Wert.

— Vous êtes des sorciers, non ? Alors, au boulot.

— Quoi ? S'attaquer à ça ? fit Rincevent.

— Vous voyez quelqu'un d'autre ? »

Wert s'avança. « Madame, je n'ai pas l'impression que vous compreniez vraiment...

— Les dimensions de la Basse-Fosse vont se déverser dans notre univers, c'est ça ? interrogea Bethan.

— Eh bien, oui...

— On se fera tous bouffer par des machins qui ont des tentacules à la place de la figure, c'est ça ?

— Rien d'aussi agréable, mais...

— Et vous allez laisser faire ?

— Écoutez, dit Rincevent. Tout est fini, vous voyez ? On ne peut pas replacer les sortilèges dans le livre, on ne peut pas rattraper ce qui a été dit, on ne peut pas...

— On peut toujours essayer ! »

Rincevent soupira et se tourna vers Deuxfleurs.

Il n'était pas là. Les yeux de Rincevent se portèrent inévitablement vers le pied de la Tour de l'Art, juste à temps pour voir disparaître par une porte la silhouette rondouillarde du touriste tenant l'épée d'une main inexperte.

Les pieds de Rincevent décidèrent pour lui ; du point de vue de sa tête, ils faisaient fausse route.

Les autres sorciers le regardèrent partir.

« Alors ? fit Bethan. Il y va, lui. »

Chacun s'efforça de ne pas croiser le regard des collègues.

Wert finit par dire : « On pourrait essayer, j'imagine. Ça n'a pas l'air de s'étendre.

— Mais il ne nous reste pour ainsi dire plus de magie, objecta l'un des sorciers.

— Vous avez une meilleure idée, alors ? »

Un par un, leurs robes de cérémonie scintillant dans l'étrange lumière, les sorciers pivotèrent et s'acheminèrent vers la tour.

Le bâtiment était creux à l'intérieur, les girons de pierre de son escalier en spirale suivaient les parois, fixés par du mortier. Deuxfleurs avait déjà gravi plusieurs pas d'hélice lorsque Rincevent le rattrapa.

« Attends, lui dit-il aussi allégrement qu'il le put. Ce genre de travail, c'est pour des hommes comme Cohen, pas pour toi. Sans vouloir t'offenser.

— Il arriverait à quelque chose ? »

Rincevent leva les yeux vers la lumière actinique qui piquait vers eux depuis le trou tout en haut des marches.

« Non, reconnut-il.

— Alors, je peux faire aussi bien que lui, non ? » dit Deuxfleurs qui brandit l'épée qu'il avait chapardée.

Rincevent le suivit par petits bonds, en se tenant au plus près du mur. « Tu ne comprends pas ! cria-t-il. Il y a des horreurs inimaginables là-haut !

— Tu as toujours dit que je n'avais pas d'imagination.

— C'est un fait, oui, admit Rincevent, mais... »

Deuxfleurs s'assit.

« Écoute, dit-il. J'attends ça depuis mon arrivée ici. Je veux dire : c'est une aventure, non ? Seul contre les dieux, tu vois le genre ? »

Rincevent ouvrit et referma la bouche quelques secondes avant de pouvoir articuler le premier mot.

« Tu sais te servir d'une épée ? fit-il d'une voix faible.

— Aucune idée. Je n'ai jamais essayé.

— Tu es fou ! »

Deuxfleurs le considéra, la tête penchée. « Tu peux parler, dit-il. Je suis ici parce que je ne sais pas quoi faire, mais tu t'es regardé ? » Il tendit le doigt vers les autres sorciers, en dessous, qui gravissaient péniblement les marches. « Et eux ? »

De la lumière bleue tombant d'en haut perfora l'intérieur de la tour. Le tonnerre gronda.

Les sorciers parvinrent à leur niveau, toussant horriblement et cherchant désespérément leur respiration.

« C'est quoi, le plan ? demanda Rincevent.

— Il n'y en a pas, répondit Wert.

— Bien. Parfait, fit Rincevent. Je vais vous laisser vous en occuper, alors.

— Tu viens avec nous, dit Panter.

— Mais je ne suis même pas un vrai sorcier. Vous m'avez fichu à la porte, vous vous rappelez ?

— Je n'ai jamais connu d'étudiant aussi nul, dit le vieux sorcier, mais tu es là et tu n'as pas besoin d'autre qualification. Viens. »

La lumière vacilla et s'éteignit. Les bruits horribles moururent, comme étranglés.

Le silence envahit la tour ; un de ces silences lourds, oppressants.

« Ça s'est arrêté », dit Deuxfleurs.

Quelque chose bougea, là-haut, sur le cercle de ciel rouge. Un objet qui tombait lentement, qui tournait sur lui-même et se déportait d'un côté à l'autre. Il atterrit sur les marches un tour d'hélice au-dessus du groupe.

Rincevent le rejoignit le premier.

C'était l'In-Octavo. Mais il gisait sur la pierre aussi mou, aussi inerte que n'importe quel autre livre ; ses pages voletaient dans le fort courant d'air ascensionnel de l'édifice.

Deuxfleurs arriva en soufflant derrière Rincevent et baissa les yeux.

« Blanches, dit-il. Toutes les pages sont complètement blanches.

— Alors il l'a fait, dit Wert. Il a prononcé les sortilèges. Et il a réussi. Je n'aurais pas cru.

— Tout ce vacarme, objecta Rincevent. Et puis la lumière. Les formes. Moi, je n'ai pas l'impression qu'il ait si bien réussi que ça.

— Oh, on obtient toujours un certain nombre d'effets secondaires extradimensionnels, au cours d'une opération magique d'importance, coupa court Panter. Ça impressionne les gens, rien de plus.

— Ça ressemblait à des monstres, là-haut, dit Deuxfleurs qui se rapprocha de Rincevent.

— Des monstres ? Montrez-moi des monstres ! » fit Wert.

Instinctivement, ils levèrent la tête. Il n'y avait aucun bruit. Rien ne bougeait sur le cercle de lumière.

« Je crois que nous devrions monter et... euh... le féliciter, proposa Wert.

— Le féliciter ? explosa Rincevent. Il a volé l'In-Octavo ! Ils vous a bouclés ! »

Les sorciers échangèrent des regards entendus.

« Oui, bon, fit l'un d'eux. Quand tu auras progressé dans le métier, mon garçon, tu sauras qu'il y a des circonstances où l'important, c'est la réussite.

— C'est le résultat qui compte, lâcha Wert brutalement. Pas la façon d'y arriver. »

Les sorciers reprirent leur ascension de l'escalier en spirale.

Rincevent s'assit et fixa les ténèbres d'un œil mauvais.

Il sentit une main sur son épaule. C'était Deuxfleurs, qui tenait l'In-Octavo.

« Ce ne sont pas des manières de traiter un livre, dit-il. Regarde, il a carrément retourné et cassé le dos. Les gens font toujours ça, ils ne savent pas prendre soin des livres.

— Ouais, répondit vaguement Rincevent.

— Ne t'en fais pas, dit Deuxfleurs.

— Je ne m'en fais pas, je suis seulement en colère, fit sèchement Rincevent. Passe-moi ce foutu bouquin ! »

Il se saisit du livre et l'ouvrit rageusement d'un geste brusque.

Il farfouilla au fond de sa tête, là où nichait le Sortilège.

« Bon, gronda-t-il. Tu t'es bien amusé, tu m'as gâché la vie, alors maintenant retourne d'où tu viens !

— Mais je... protesta Deuxfleurs.

— Le Sortilège, c'est au Sortilège que je parle, dit Rincevent. Allez, retourne sur la page ! »

Il jeta à l'antique parchemin un regard furieux qui finit par le faire loucher.

« Alors je vais te prononcer ! cria-t-il, et sa voix se répercuta en écho jusqu'en haut de la tour. Rejoins donc les autres, et grand bien te fasse ! »

Il refourra le livre entre les bras de Deuxfleurs et monta l'escalier d'un pas mal assuré.

Les sorciers avaient atteint le sommet et disparu hors de vue. Rincevent grimpait à leur suite.

« "Mon garçon", hein ? marmonnait-il. Quand j'aurai "progressé dans le métier", hein ? J'ai quand même réussi à me balader pendant des années avec l'un des Grands Sortilèges dans le ciboulot sans devenir complètement fou, non ? » Il étudia ce dernier point sous tous les angles. « Oui, c'est bien vrai, se rassura-t-il. Tu ne t'es pas mis à parler aux arbres, même quand ce sont les arbres qui se sont mis à te parler, à toi. »

Sa tête émergea dans l'air lourd, au sommet de la tour.

Il s'était attendu à voir des pierres noircies par le feu, sillonnées de traces de griffes, voire pire encore.

Au lieu de cela, il vit les sept vieux sorciers debout près d'un Trymon parfaitement indemne. Trymon se retourna et sourit aimablement à Rincevent.

« Ah, Rincevent. Joins-toi à nous, tu veux ? »

Alors voilà, se dit Rincevent. Toute cette histoire pour rien. Peut-être que je ne suis vraiment pas doué pour être sorcier, peut-être que...

Il leva les yeux pour les plonger dans ceux de Trymon.

C'était peut-être le Sortilège qui, à force de vivre des années durant dans la tête de Rincevent, lui avait modifié la vue. Peut-être le temps passé en compagnie de Deuxfleurs, qui voyait seulement les choses telles qu'elles devaient être, lui avait-il appris à les voir telles qu'elles sont.

Mais Rincevent n'avait assurément jamais rien accompli d'aussi difficile, et de loin, dans toute son existence que de regarder Trymon sans se sentir horriblement malade ni céder à la panique et prendre ses jambes à son cou.

Les autres paraissaient n'avoir rien remarqué.

Ils paraissaient également figés sur place.

Trymon avait essayé de contenir les sept Sortilèges dans son esprit qui avait cédé, du coup les dimensions de la Basse-Fosse l'avaient trouvée, leur brèche. Fallait être bête pour s'imaginer que les Choses allaient débarquer au pas cadencé par une sorte de déchirure dans le ciel, mandibules et tentacules au vent. C'était dépassé, ces histoires-là, bien trop risqué. Même les horreurs sans nom apprenaient à vivre avec leur temps.

Tout ce dont elles avaient besoin, c'était une tête où pénétrer.

Les yeux de Trymon n'étaient que deux trous vides.

La révélation transperça l'esprit de Rincevent comme un poignard de glace. Les dimensions de la Basse-Fosse tenaient de la garderie d'enfants en regard de ce que les Choses étaient capables de commettre dans un univers ordonné. Les gens avaient soif d'ordre, eh bien, ils allaient en avoir, de l'ordre : celui du tour de vis, la loi immuable des lignes droites et des chiffres. Ils allaient en baver...

Trymon le regardait. Quelque chose le regardait. Et les autres n'avaient toujours rien remarqué. Saurait-il seulement expliquer ? Trymon semblait le même qu'avant, en dehors des yeux et d'une peau légèrement luisante.

Rincevent le fixait et savait qu'il y avait bien pire que le Mal. Tous les démons de l'Enfer torturent les âmes, mais c'est parce qu'ils en font grand cas, justement ; si le Mal essaye sans cesse de s'approprier l'univers, au moins il estime qu'il en vaut la peine. Mais le monde gris derrière ces yeux vides piétinerait et détruirait sans même accorder à ses victimes la dignité de la haine. Il ne leur prêterait pas la moindre attention.

Trymon tendit la main.

« Le Huitième Sortilège, dit-il. Donne-le moi. »

Rincevent recula.

« C'est de la désobéissance, Rincevent. Je suis ton supérieur, après tout. J'ai même été élu chef suprême de tous les ordres.

— Vraiment ? » fit Rincevent d'une voix rauque. Il jeta un coup d'œil aux autres sorciers. Immobiles, de vraies statues.

« Oh, oui, dit Trymon d'un ton enjoué. Je n'ai pas eu beaucoup à les pousser, d'ailleurs. Très démocratique.

— Moi, j'aime mieux la tradition, répliqua Rincevent. Même les morts ont des voix.

— Tu vas me donner le Sortilège de ton plein gré, dit Trymon. Tu veux que je te montre ce que je ferai, sinon ? Et tu finiras quand même par le donner. Tu hurleras pour que je l'accepte. »

Si toute cette aventure doit se terminer, c'est maintenant, songea Rincevent.

« Faudra venir le prendre, dit-il. Je ne vous le donnerai pas.

— Je me souviens de toi, reprit Trymon. Pas terrible comme étudiant, si je me rappelle bien. Tu ne faisais jamais vraiment confiance à la magie, tu n'arrêtais pas de dire qu'il devait exister une meilleure façon de faire marcher un univers. Eh bien, tu vas voir. J'ai des projets. Ensemble, nous allons pouvoir...

— Pas ensemble, le coupa Rincevent d'un ton ferme.

— Donne-moi le Sortilège !

— Essayez donc de le prendre, dit Rincevent qui recula. Je ne crois pas que vous y arriverez.

— Oh ? »

Rincevent sauta de côté lorsque du feu octarine fusa des doigts de Trymon et laissa sur les pierres une flaque de roche bouillonnante.

Il sentit le Sortilège se tapir au fond de son esprit. Il sentit sa peur.

Dans les cavernes silencieuses de son cerveau, il alla le chercher. Le Sortilège, surpris, battit en retraite, comme un chien devant un mouton enragé. Rincevent le poursuivit, trépignant de fureur, à travers les quartiers désaffectés et les secteurs sinistrés des quartiers déshérités de son subconscient, et finit par le découvrir recroquevillé derrière un tas de souvenirs réformés. Le Sortilège poussa un rugissement silencieux de défi, mais ça ne prenait pas avec Rincevent.

Alors c'est comme ça ? lui cria-t-il. Au moment de l'épreuve de force, tu vas te cacher ? Tu as la trouille ?

Le Sortilège répondit : c'est absurde, tu ne peux pas croire ça, je suis l'un des Huit Sortilèges. Mais Rincevent s'avança, en colère, et lui brailla : peut-être, mais le fait est que je le crois et tu ferais mieux de te rappeler dans quelle tête tu habites, vu ? Je suis libre de croire tout ce que je veux là-dedans !

Rincevent effectua un nouveau bond de côté pour éviter une seconde giclée de feu qui transperça la chaleur de la nuit. Trymon sourit et fit un autre mouvement compliqué des mains.

Une pression s'exerça sur Rincevent. Il lui semblait qu'on prenait chaque centimètre de sa peau pour une enclume. Il s'effondra sur les genoux.

« Je peux faire bien pire, dit aimablement Trymon. Je peux te faire brûler la chair sur les os ou te remplir le corps de fourmis. J'ai le pouvoir de...

— Moi, j'ai une épée, vous savez. »

La voix grinçait de défi.

Rincevent redressa la tête. A travers un brouillard violet de douleur il vit, debout derrière Trymon, Deuxfleurs qui tenait son épée à l'envers.

Trymon éclata de rire et plia les doigts. Son attention fut un instant détournée.

Rincevent était en colère. En colère à cause du Sortilège, à cause du monde et de son injustice, à cause du fait qu'il n'avait pas beaucoup dormi ces derniers temps et qu'il n'arrivait pas à penser correctement. Mais il était surtout en colère contre ce Trymon qui possédait toute la magie que lui, Rincevent, avait toujours voulu acquérir sans jamais y parvenir, et qui n'en tirait rien de bon.

Il bondit, donna de la tête dans l'estomac du mage et le ceignit de ses bras dans un geste désespéré. Deuxfleurs fut éjecté de côté lorsqu'ils glissèrent sur les pierres.

Trymon gronda et prononça la première syllabe d'un charme, mais Rincevent le frappa sauvagement d'un coup de coude à la volée dans le cou. Un jet de magie libérée lui roussit les cheveux.

Rincevent se battait comme il l'avait toujours fait, sans technique, ni règles ni tactique mais en brassant beaucoup d'air. La stratégie consistait à empêcher l'adversaire de s'apercevoir trop vite qu'il n'était pas un bon bagarreur et qu'il manquait de force ; ça marchait souvent.

Pour l'heure ça marchait parce que Trymon avait passé trop de temps à lire les manuscrits anciens et pas assez pris d'exercice physique ni de vitamines. Il réussit à porter quelques coups que Rincevent, tout à sa fureur, ne remarqua même pas, mais il ne se servait que de ses mains alors que l'autre recourait aussi aux genoux, aux pieds et aux dents.

Pour tout dire, Rincevent gagnait.

Ça lui fit un choc.

Le choc fut encore plus grand lorsqu'il s'agenouilla sur la poitrine de son adversaire pour le cogner à coups redoublés sur la tête et que la figure de Trymon se transforma. La peau frissonna et ondoya comme s'il la voyait à travers une brume de chaleur, et Trymon parla.

« Aide-moi ! »

Un court instant, Rincevent lut dans les yeux levés vers lui la peur, la souffrance et la supplication. Puis ce ne furent plus des yeux mais des choses à facettes multiples sur une tête qu'on ne pouvait qualifier ainsi qu'en étendant la définition à son extrême limite. Des tentacules, des pattes et des serres en dents de scie se déplièrent pour arracher la maigre chair des os de Rincevent.

Deuxfleurs, la tour et le ciel rouge, tout disparut. Le temps ralentit sa course et s'arrêta.

Rincevent mordit violemment un tentacule qui cherchait à lui déchirer le visage. Comme l'appendice se tordait de douleur, il avança la main et la sentit briser quelque chose de chaud et de spongieux.

On l'observait. Il tourna la tête et vit qu'il se battait à présent dans l'arène d'un gigantesque amphithéâtre. De chaque côté, des rangées entières de créatures avaient les yeux baissés vers lui, des créatures dont les corps et les têtes semblaient tout droit issus d'hybridations cauchemardesques. Il eut la vision fugitive d'horreurs encore plus grandes derrière lui, d'ombres immenses qui s'étendaient jusqu'au ciel couvert. Ensuite le monstre-Trymon lui décocha un coup de dard barbelé de la taille d'une lance.

Rincevent esquiva puis pivota, les deux mains serrées en un seul poing qui frappa la chose dans le ventre, à moins que ce ne fût le thorax. Le coup rendit un son réjouissant de chitine écrasée.

Il plongea en avant, poussé désormais par la terreur de ce qui arriverait s'il arrêtait de se battre. L'arène fantomatique résonnait des pépiements des créatures de la Basse-Fosse, comme un mur de bruissements qui lui martelaient les oreilles pendant qu'il bataillait. Il imagina ce bruit qui envahissait le Disque et il balança coup après coup pour sauver le monde des hommes, pour préserver le petit cercle de lumière dans la nuit du chaos et refermer la brèche par où s'introduisait le cauchemar. Mais il frappait surtout son adversaire pour l'empêcher de riposter.

Des griffes ou des serres lui tracèrent des sillons chauffés à blanc dans le dos et quelque chose lui mordit l'épaule, mais il trouva une poignée de tubes mous au milieu de tous les poils et écailles et il les pressa violemment.

Un bras hérissé de piquants l'envoya rouler au loin dans la poussière noire et cendreuse.

Instinctivement, il se mit en boule, mais rien ne se produisit. La charge furieuse qu'il attendait ne vint pas, et lorsqu'il ouvrit les yeux, il vit la créature s'éloigner clopin-clopant en perdant divers liquides en cours de route.

C'était la première fois qu'on fuyait devant Rincevent.

Il fonça derrière elle, attrapa une patte écailleuse et tordit. La créature pépia vers lui et battit désespérément de ses appendices encore en état de marche, mais la prise de Rincevent tenait bon. Le sorcier se redressa et flanqua un dernier et solide coup de poing dans l'œil qui restait à la chose. Elle hurla et voulut s'échapper. Et elle n'avait qu'un seul endroit où s'échapper.

La tour et le ciel rouge revinrent dans un déclic de temps rétabli.

Sitôt qu'il sentit les dalles solides sous ses pieds, Rincevent jeta son poids de côté et roula sur le dos, à une longueur de bras de la créature forcenée.

« Maintenant ! hurla-t-il.

— Quoi, maintenant ? fit Deuxfleurs. Oh. Oui. D'accord ! »

Il abattit l'épée maladroitement mais avec une certaine force ; la lame manqua Rincevent de quelques centimètres et s'enfonça profondément dans la Chose. Elle émit un bourdonnement strident, comme si Deuxfleurs avait éventré un nid de guêpes, et la mêlée de bras, de jambes et de tentacules se convulsèrent dans les affres de l'agonie. La créature roula à nouveau sur elle-même, sans cesser de hurler et de frapper les dalles de pierre ; puis elle ne frappa plus rien du tout parce qu'elle bascula pardessus le bord de l'escalier en entraînant Rincevent avec elle.

Des craquements spongieux montèrent du trou tandis qu'elle rebondissait sur quelques marches, puis un cri lointain et décroissant quand elle chuta sur toute la hauteur de la tour.

Il y eut enfin une explosion sourde et un éclair de lumière octarine.

Deuxfleurs se retrouva alors tout seul au sommet de la tour... tout seul, à l'exception des sept sorciers qui semblaient toujours figés sur place.

Il était là, ahuri, lorsque sept boules de feu montèrent de l'obscurité et plongèrent dans l'In-Octavo abandonné qui parut soudain beaucoup plus intéressant, comme s'il redevenait lui-même.

« Oh là là, fit-il. Ce sont les Sortilèges, sûrement.

— Deuxfleurs. » La voix était caverneuse, comme en écho, mais on reconnaissait bien Rincevent.

Deuxfleurs suspendit son geste vers le livre.

« Oui ? fit-il. C'est... c'est toi, Rincevent ?

— Oui, répondit la voix aux accents de tombeau. Et il y a quelque chose de très important que je veux que tu fasses pour moi, Deuxfleurs. »

Deuxfleurs regarda autour de lui. Il se ressaisit. Ainsi le sort du Disque allait dépendre de lui, en fin de compte ?

« Je suis prêt, dit-il, la voix vibrante de fierté. Qu'est-ce que tu veux que je fasse ?

— D'abord, je veux que tu écoutes avec une grande attention, dit patiemment la voix désincarnée de Rincevent.

— J'écoute.

— Il est très important qu'au moment où je vais t'expliquer que faire tu ne me demandes pas : "Qu'est-ce que tu veux dire ?" ni que tu discutes, ni rien, compris ? »

Deuxfleurs se mit au garde-à-vous. Du moins son esprit car son corps en était vraiment incapable. Il fit saillir plusieurs de ses mentons.

« Je suis prêt, dit-il.

— Bien. A présent, ce que je veux que tu fasses, c'est...

— Oui ? »

La voix de Rincevent monta des profondeurs de l'escalier.

« Je veux que tu viennes m'aider à remonter avant que mes doigts ne glissent de cette pierre », dit-il.

Deuxfleurs ouvrit la bouche puis la referma aussitôt. Il courut au trou carré et scruta le vide. A la lumière rouge de l'étoile il parvint à distinguer les yeux du sorcier levés vers lui.

Il s'allongea sur le ventre et tendit la main. Celle de Rincevent lui agrippa le poignet d'une étreinte qui faisait comprendre au touriste que si le sorcier n'était pas remonté, rien ne lui ferait lâcher prise.

« Je suis content que tu sois en vie, dit-il.

— Parfait. Moi de même », dit Rincevent.

Il attendit un moment dans le noir. Après les instants qu'il venait de vivre, c'était presque agréable, mais presque seulement.

« Alors, tu me remontes ? suggéra-t-il.

— Je crois que ça risque d'être difficile, grommela Deuxfleurs. Je n'ai pas vraiment l'impression de pouvoir y arriver, en fait.

— A quoi tu te tiens, alors ?

— A toi.

— Je veux dire : en dehors de moi ?

— Comment ça : en dehors de toi ? » fit Deuxfleurs.

Rincevent lâcha un vilain mot.

« Bon, écoute, dit Deuxfleurs. L'escalier est en spirale, d'accord ? Si j'arrive à te balancer et qu'ensuite tu te laisses...

— Si c'est pour me proposer de me laisser tomber sur cinq, six mètres du haut d'une tour noire comme un four dans l'espoir de me cogner contre deux ou trois petites marches glissantes qui ne sont peut-être même plus là, ce n'est pas la peine, dit sèchement Rincevent.

— Alors il y a une autre solution.

— Accouche, mon vieux.

— Tu te laisses tomber sur cinquante, soixante mètres du haut d'une tour noire comme un four et tu te cognes contre des pierres qui sont certainement là », dit Deuxfleurs.

Un silence de mort lui parvint d'en dessous. Puis Rincevent lança d'un ton accusateur : « C'était un sarcasme.

— Je n'ai fait qu'énoncer l'évidence, il me semble. » Rincevent grogna.

« Je suppose que tu ne pourrais pas faire un brin de magie... commença Deuxfleurs.

— Non.

— C'était juste une idée. »

Une lumière vacilla tout en bas, des cris confus s'élevèrent, puis davantage de lumières, davantage de cris, et un chapelet de torches entreprit l'ascension de la longue spirale.

« Voilà des gens qui montent l'escalier, dit Deuxfleurs, toujours prêt à renseigner.

— J'espère qu'ils courent, dit Rincevent. Je ne sens plus mon bras.

— Tu as de la chance, fit Deuxfleurs. Moi, je sens le mien. »

La torche de tête s'arrêta dans sa montée et une voix retentit, qui remplit la tour creuse d'échos inintelligibles.

« Je crois, fit Deuxfleurs, conscient de lentement glisser plus avant dans le trou, qu'on nous disait de tenir bon. »

Rincevent lâcha un autre vilain mot.

Puis, d'une voix plus basse et plus pressante : « Pour tout dire, je ne crois pas pouvoir tenir plus longtemps.

— Essaye.

— Pas la peine, ma main glisse, je le sens ! »

Deuxfleurs soupira. L'heure était aux mesures énergiques. « Alors, d'accord, dit-il. Dégringole donc. Pour ce que j'en ai à faire.

— Quoi ? fit Rincevent, si surpris qu'il en oublia de lâcher prise.

— Vas-y, meurs. Choisis la solution de facilité.

— *Facilité ?*

— Tout ce que tu as à faire, c'est te laisser tomber à pic dans le vide en hurlant et de te fracasser tous les os, dit Deuxfleurs. N'importe qui peut y arriver. Vas-y. Ne t'imagine surtout pas que tu doives rester en vie parce qu'on a besoin de toi pour prononcer les Sortilèges et sauver le Disque. Oh, non. Qui ça intéresse, qu'on meure tous grillés ? Allez, pense d'abord à toi ! Lâche donc ! »

Il y eut un long silence embarrassé.

« Je ne sais pas pourquoi, finit par dire Rincevent d'une voix plus forte qu'il n'était nécessaire, mais depuis que je te connais j'ai l'impression d'avoir passé mon temps suspendu, à deux doigts de tomber.

— La tombe, corrigea Deuxfleurs.

— Quoi, "la tombe" ?

— De la tombe, dit obligeamment Deuxfleurs qui tâcha d'ignorer le glissement lent mais inexorable de son ventre sur les dalles. A deux doigts de la tombe. Tu n'aimes pas l'altitude.

— L'altitude, ça m'est bien égal, fit la voix de Rincevent dans les ténèbres. Je m'en accommode, de l'altitude. C'est le vide qui me préoccupe pour le moment. Tu sais ce que vais faire quand on sera sortis de là ?

— Non, répondit Deuxfleurs qui se coinça les orteils dans une fissure des dalles et tenta de s'immobiliser par la seule force de sa volonté.

— Je vais me bâtir une maison dans le pays le plus plat que je pourrai trouver, elle n'aura qu'un rez-de-chaussée et j'éviterai même de porter des sandales à semelle compensée... »

La torche de tête parvint au dernier tour de la spirale et le regard de Deuxfleurs tomba sur la figure hilare de Cohen. Derrière lui, il distingua la masse rassurante du Bagage qui continuait de gravir les marches à petits bonds maladroits.

« Tout va bien ? lança Cohen. Je peux faire quelque chose ? »

Rincevent prit une profonde inspiration.

Deuxfleurs reconnut les symptômes. Rincevent s'apprêtait à donner une réponse du genre : « Oui, ça me démange derrière le cou, alors si vous pouviez me gratter, hein, en passant ? » ou : « Non, ça m'amuse de pendouiller au-dessus de précipices insondables. » Deuxfleurs se dit qu'il ne le supporterait pas. Il répondit aussitôt.

« Ramenez Rincevent sur les marches », ordonna-t-il sèchement. Les poumons de Rincevent se vidèrent dans un grognement.

Cohen l'attrapa autour de la taille et le propulsa sans cérémonie sur les pierres.

« Il y a une infâme bouillie étalée par terre, en bas, dit-il, histoire de causer. C'était qui ?

— Est-ce que... — Rincevent déglutit. — ... est-ce que ça avait... vous savez... des tentacules et tout ?

— Non, répondit Cohen. Rien que des morceaux ordinaires. Un peu dispersés, évidemment. »

Rincevent regarda Deuxfleurs qui secoua la tête.

« Un sorcier dépassé par les événements, voilà tout », dit-il.

La démarche chancelante, les bras lui criant leurs reproches, Rincevent se laissa aider à remonter sur le toit de la tour.

« Comment vous êtes arrivé ici ? » demanda-t-il.

Cohen désigna le Bagage qui avait rejoint Deuxfleurs en courant et ouvert son couvercle comme un chien qui sait qu'il n'a pas été sage et espère qu'une prompte démonstration d'affection lui évitera le journal roulé de l'autorité.

« Plein de bosses mais rapide, dit le héros. Je vais te dire, quand t'es là-dessus, personne n'essaye de t'arrêter. »

Rincevent leva les yeux vers le ciel. Il était rempli de lunes, immenses galettes grêlées de cratères, à présent dix fois plus grosses que celle, toute petite, du Disque. Il les considéra sans grand intérêt. Il se sentait moulu, distendu bien au-delà du point de rupture, aussi fragile qu'un vieil élastique.

Il remarqua que Deuxfleurs essayait d'armer sa boîte à images.

Cohen regardait les sept anciens sorciers.

« Drôle d'endroit pour exposer des statues, dit-il. Pour quel public ? Remarque, ça ne vaut pas grand-chose, je dois dire. Pas fameux, comme travail. »

Rincevent tituba jusqu'à Wert et lui tapota légèrement la poitrine. C'était de la bonne pierre bien dure.

Et voilà, songea-t-il. Je veux rentrer chez moi.

Attends, je suis chez moi. A quelque chose près. Alors, ce que je veux, c'est une bonne nuit de sommeil, et peut-être que tout ira mieux demain matin.

Ses yeux tombèrent sur l'In-Octavo ; de menus éclairs de feu octarine en dessinaient les contours. Ah, oui, se dit-il.

Il le ramassa et feuilleta négligemment les pages. Elles étaient épaisses et couvertes d'une graphie alambiquée qui changeait et se reformait alors même qu'il l'examinait. Elle avait l'air de ne pas savoir quelle tournure se donner ; tantôt c'étaient des caractères d'imprimerie ordonnés tout bêtes, tantôt une suite de runes anguleuses. Puis la sorcellographie contournée kythienne. Puis les pictogrammes d'une écriture ancienne, maléfique et oubliée, apparemment composée exclusivement d'êtres reptiliens dégoûtants qui se faisaient mutuellement des choses compliquées et douloureuses...

La dernière page était vierge. Rincevent soupira et lança un regard dans le fond de son esprit. Le Sortilège le lui retourna.

Il en avait rêvé, de cet instant, celui où il expulserait enfin l'intrus, recouvrerait la libre jouissance de sa tête et apprendrait tous ces sorts secondaires qui avaient jusqu'alors eu trop peur de rester en lui. Il ne savait pas pourquoi, mais il s'était attendu à quelque chose de plus excitant.

Exténué qu'il était et d'humeur à ne supporter aucune discussion, il se contenta de fixer froidement le Sortilège et d'agiter en pensée un pouce par-dessus son épaule.

Toi, là. Ouste !

Le Sortilège donna un instant l'impression de vouloir protester, mais il eut la sagesse de n'en rien faire.

Des picotements, un éclair bleu derrière les yeux, puis une impression de vide.

Lorsque Rincevent posa le regard sur la page, elle était couverte de mots. A nouveau des runes. Il s'en réjouissait, les pictogrammes reptiliens n'étaient pas seulement innommables mais probablement imprononçables aussi, et ils éveillaient chez lui des souvenirs qu'il aurait beaucoup de mal à oublier.

Il contemplait le livre d'un air bête tandis que Deuxfleurs s'affairait autour de lui sans qu'il s'en rende compte et que Cohen s'efforçait vainement de retirer leurs bagues aux sorciers pétrifiés.

Il avait quelque chose à faire, se rappela-t-il. C'était quoi, au juste ?

Il ouvrit le livre à la première page et commença de lire ; ses lèvres bougeaient pendant que son doigt suivait le tracé des lettres. Chaque mot qu'il marmonnait apparaissait silencieusement dans l'air auprès de lui, en couleurs vives qui se diffusaient au gré du vent nocturne.

Il tourna la page.

D'autres visiteurs montaient l'escalier à présent : des adorateurs de l'étoile, des citadins et même quelques membres de la garde personnelle du Patricien. Deux adorateurs de l'étoile tentèrent sans conviction de s'approcher de Rincevent désormais entouré d'un arc-en-ciel tourbillonnant de lettres et qui ne leur prêtait aucune attention, mais Cohen dégaina son épée et les considéra nonchalamment. Aussi se ravisèrent-ils.

Depuis la forme courbée de Rincevent, le silence se propagea comme des rides à la surface d'une flaque. Il tomba en cascade de la tour pour se répandre dans la multitude grouillante en dessous, submergea les murs, inonda la cité de son flot sombre et bouillonnant et engloutit les terres au-delà.

La masse muette de l'étoile surplombait le Disque. Dans le ciel environnant, les nouvelles lunes tournaient lentement, sans un bruit.

Il n'y avait d'autre son que le chuchotement rauque de Rincevent tandis qu'il tournait une à une les pages.

« Ça, c'est passionnant ! » dit Deuxfleurs. Cohen, qui se roulait les restes goudronneux de plusieurs cigarettes pour s'en faire une nouvelle, lui jeta un regard ahuri, le papier à mi-chemin des lèvres.

« Qu'est-ce qui est passionnant ?

— Toute cette magie !

— Des lumières, c'est tout, chicana-t-il. Il n'a même pas sorti des colombes de ses manches.

— Oui, mais vous ne sentez pas la puissance surnaturelle ? » fit Deuxfleurs.

Cohen ramena une allumette d'un recoin de sa blague à tabac, regarda Wert un instant et, posément, la gratta sur son nez fossilisé. « Écoute, dit-il à Deuxfleurs aussi aimablement que possible. Tu te figures quoi ? J'ai pas mal bourlingué, j'en ai vu, de la magie, et je peux te dire que si tu te promènes tout le temps la mâchoire pendante ça donne envie de taper dessus. De toute façon, les sorciers meurent comme tout le monde quand on leur plante un... »

Rincevent referma le livre dans un claquement sonore. Il se releva et regarda alentour.

Voici ce qui se produisit alors :

Rien.

Les gens mirent un certain temps à s'en apercevoir. Ils s'étaient tous baissés instinctivement, dans l'attente d'une explosion de lumière blanche, d'une boule de feu étincelante ou, dans le cas de Cohen qui n'escomptait jamais grand-chose, de quelques pigeons blancs voire d'un lapin un peu fripé.

Ce n'était même pas un rien intéressant. Parfois les choses se produisent sans gros effets spectaculaires, mais pour ce qui était des non-événements, celui-là ne valait pas tripette.

« C'est tout ? » fit Cohen. Un murmure général montait dans la foule et plusieurs adorateurs de l'étoile guignaient Rincevent d'un sale œil.

Le sorcier posa sur Cohen un regard larmoyant.

« J'en ai l'impression, dit-il.

— Mais il ne s'est rien passé. »

Rincevent considéra l'In-Octavo, l'air déconcerté.

« Peut-être que l'effet est subtil ? dit-il d'un ton optimiste. Après tout, on ignore ce qui est censé se produire.

— On le savait ! s'écria l'un des adorateurs de l'étoile. La magie, ça ne marche pas ! Tout ça, c'est de l'illusion ! »

Un caillou décrivit un arc de cercle au-dessus du toit et atteignit Rincevent à l'épaule.

« Ouais, fit un autre étoilé. Attrapons-le !

— Balançons-le de la tour !

— Ouais, attrapons-le et balançons-le de la tour ! »

La foule se lança en avant. Deuxfleurs leva les mains.

« Je suis sûr qu'il doit y avoir une petite erreur... commença-t-il avant de se faire faucher les jambes.

— Oh merde », fit Cohen qui laissa tomber son mégot avant de l'écraser sous sa sandale. Il tira l'épée et chercha du regard le Bagage.

Le coffre ne s'était pas précipité au secours de Deux-fleurs. Il se tenait devant Rincevent qui serrait l'In-

Octavo sur sa poitrine comme une bouillotte et avait l'air dans tous ses états.

Un étoilé lui allongea un coup. Le Bagage ouvrit un couvercle menaçant.

« Je sais pourquoi ça n'a pas marché », fit une voix derrière la cohue. C'était Bethan.

« Ah ouais ? dit le plus proche citadin. Et en quel honneur on devrait t'écouter ? »

Dans la fraction de seconde qui suivit, l'épée de Cohen se pressait contre sa gorge.

« D'un autre côté, reprit l'homme d'un ton égal, on devrait peut-être écouter quand même ce que cette jeune dame veut bien nous dire. »

Tandis que Cohen se retournait lentement, l'épée pointée, Bethan s'avança et désigna les formes tourbillonnantes des Sortilèges toujours suspendues en l'air autour de Rincevent.

« Celui-là n'est sûrement pas bon, dit-elle en montrant une tache marron sale au milieu des feux qui palpitaient de couleurs éclatantes. Vous avez dû mal prononcer un mot. Faites voir. »

Rincevent lui passa l'In-Octavo sans rien dire.

Elle l'ouvrit et parcourut les pages.

« Quelle drôle d'écriture, dit-elle. Ça change tout le temps. Qu'est-ce que cette espèce de crocodile fait à la pieuvre ? »

Rincevent regarda par-dessus son épaule et, sans réfléchir, le lui dit. Elle resta silencieuse un moment.

« Oh, fit-elle d'une voix calme, je ne savais pas que les crocodiles faisaient ça.

— C'est une ancienne écriture à partir d'images, s'empressa d'expliquer Rincevent. Une autre va la remplacer si vous attendez. Les Sortilèges apparaissent dans toutes les langues connues.

— Vous vous souvenez de ce que vous disiez quand la mauvaise couleur est arrivée ? »

Rincevent fit courir un doigt sur la page.

« Là, je crois. Où le lézard à deux têtes fait... je ne sais pas trop quoi. »

Deuxfleurs surgit à son autre épaule. L'écriture du Sortilège se métamorphosa.

« Je n'arrive même pas à le prononcer, dit Bethan. Gribouillis, gribouillis, point, trait.

— Des runes nivales cupumuguk, expliqua Rincevent. Je crois que ça se prononce "zph".

— Mais ça n'a pas marché. Et si c'était "sph" ? »

Ils regardèrent le mot. Il gardait obstinément sa couleur douteuse.

« Ou "sff", proposa Bethan.

— Ça pourrait être "tsff" », fit Rincevent sans conviction. La couleur prit peut-être une nuance de marron encore plus sale.

« Que diriez-vous de "zsff" ? fit Deuxfleurs.

— Ne sois pas ridicule, répondit Rincevent. Avec les runes nivales, le... »

Bethan lui flanqua un coup de coude dans le ventre et tendit le doigt.

La forme marron suspendue en l'air était maintenant d'un rouge vif.

Le livre trembla dans ses mains. Rincevent prit la vierge par la taille, empoigna Deuxfleurs par le col et sauta en arrière.

Bethan lâcha l'In-Octavo qui tomba vers les dalles. Et ne les atteignit pas.

L'espace autour du livre se mit à rougeoyer et il s'éleva lentement, battant de ses pages comme s'il s'agissait d'ailes.

Un son doux et plaintif de corde pincée se fit entendre et l'In-Octavo parut exploser en une fleur de lumière silencieuse et tourmentée qui s'épanouit en un instant, se flétrit et disparut.

— Je crois que oui. Tu vois, j'ai des fois l'impression que le Bagage sait parfaitement ce qu'il fait.

— Je vois ce que tu veux dire. »

Ils s'extirpèrent à quatre pattes de la mêlée grouillante, se relevèrent, s'époussetèrent et se dirigèrent vers l'escalier. Personne ne s'intéressa à eux.

« Ils font quoi, maintenant ? demanda Deuxfleurs qui essayait de voir par-dessus les têtes de la multitude.

— On dirait qu'ils essayent de le forcer », répondit Rincevent.

Il y eut un claquement et un cri.

« Je crois que le Bagage apprécie qu'on s'occupe de lui, dit Deuxfleurs alors qu'ils entamaient prudemment leur descente.

— Oui, ça lui fait probablement du bien de sortir un peu et de rencontrer des gens, dit Rincevent. Et maintenant, je crois que j'aimerais aller dans une taverne passer commande de deux verres.

— Bonne idée, fit Deuxfleurs. J'en prendrai deux, moi aussi. »

Il était presque midi lorsque Deuxfleurs s'éveilla. Il ne se rappelait pas ce qu'il faisait dans un fenil, ni pourquoi il portait le manteau d'un autre, mais une idée l'obsédait.

Il jugea qu'il était d'une importance vitale d'en parler à Rincevent.

Il dégringola du foin et atterrit sur le Bagage.

« Ah, tu es là, hein ? fit-il. J'espère que tu as honte de toi. »

Le Bagage parut désorienté.

« En tout cas, je veux me peigner. Ouvre-toi ! » ordonna Deuxfleurs.

D'une secousse, le Bagage ouvrit obligeamment son couvercle. Deuxfleurs fourragea parmi les sacs et les boîtes et finit par trouver un peigne et un miroir grâce

Mais quelque chose se passait beaucoup plus haut dans le ciel...

Dans les profondeurs géologiques du gigantesque cerveau de la Grande A'Tuin, de nouvelles pensées filèrent le long de tubes neuraux de la largeur de routes à grande circulation. Il était impossible pour une tortue céleste de changer d'expression mais, d'une manière indéfinissable, sa face squameuse, vérolée par les météores, avait l'air dans l'attente d'un événement.

Elle fixait les huit sphères qui orbitaient inlassablement autour de l'étoile, sur les plages de l'espace.

Les sphères se craquelaient.

De formidables segments rocheux se détachèrent et entamèrent une longue descente en spirale vers l'étoile. Le ciel s'emplit de tessons étincelants.

Des débris d'une coquille creuse sortit une toute petite tortue céleste qui se lança dans la lumière rouge à coups de nageoires. Elle était à peine plus grosse qu'un astéroïde et sa carapace luisait encore de jaune d'œuf fondu.

Elle supportait, elle aussi, quatre petits éléphanteaux. Sur leur dos reposait un disque-monde, encore minuscule, couvert de fumée et de volcans.

La Grande A'Tuin attendit que les huit bébés tortues se soient tous libérés de leurs coquilles et aventurés dans l'espace, l'air perplexe. Puis, doucement, comme pour ne rien déranger, la vieille tortue fit demi-tour et, avec un grand soulagement, reprit sa longue nage vers la bienheureuse fraîcheur des abîmes insondables de l'espace.

Les jeunes tortues suivirent leur mère, orbitant autour d'elle.

Deuxfleurs, émerveillé, contemplait le spectacle au-dessus de sa tête. Il jouissait probablement d'un meilleur point de vue que n'importe qui sur le Disque.

Puis il lui vint une pensée horrible.

« Où est la boîte à images ? demanda-t-il d'une voix pressante.

— Quoi ? fit Rincevent, les yeux rivés au ciel.

— La boîte à images, dit Deuxfleurs. Il faut que je prenne ça !

— Vous ne pouvez pas vous contenter du souvenir ? fit Bethan sans le regarder.

— Je pourrais oublier.

— Moi, je n'oublierai jamais, dit-elle. Je n'ai jamais rien vu d'aussi beau.

— Bien plus fort que des pigeons et des boules de billard, renchérit Cohen. Je te l'accorde, Rincevent. Comment tu fais ça ?

— Chais pas, répondit le sorcier.

— L'étoile rapetisse », observa Bethan.

Rincevent avait vaguement conscience de la voix de Deuxfleurs en train de se chamailler avec le démon qui logeait dans la boîte et peignait les images. La dispute portait sur des questions plutôt techniques de profondeur de champ et sur le fait que le diablotin risquait de manquer de rouge.

Il est à noter que la Grande A'Tuin nageait pour l'heure dans le bonheur et la félicité, et de tels sentiments dans un cerveau de la taille de plusieurs grandes métropoles ont de fortes chances de rayonner alentour. De fait, la plupart des gens sur le Disque se sentaient présentement dans un état d'esprit que ne permet en temps normal qu'une vie de méditation consciencieuse ou une trentaine de secondes d'herbes illicites.

Ce sacré Deuxfleurs, songeait Rincevent. Ce n'est pas que la beauté le laisse indifférent, mais il ne l'apprécie qu'à sa manière. Dame, quand un poète voit une jonquille, il la contemple et il en écrit un long poème ; Deuxfleurs, lui, part en quête d'un livre sur la botanique. Et il écrase la jonquille au passage. C'est vrai, ce que disait Cohen. Il regarde les choses, mais elles ne

sont plus jamais pareilles après. Moi y compris, j'ai l'impression.

Le soleil du Disque se leva. L'étoile décroissait déjà et n'était plus vraiment de taille à lutter. La bonne vieille lumière fidèle du Disque se répandit à flots sur le paysage ravi, comme une marée d'or.

Ou, de l'avis d'observateurs plus sérieux, comme de la mélasse.

Voilà une belle fin, bien spectaculaire, mais la vie ne fonctionne pas ainsi, et tout n'avait pas été dit.

Tenez, l'In-Octavo, par exemple.

Dès que la lumière du soleil le toucha, le livre se referma sèchement et retomba vers la tour. Et pour nombre de témoins, qu'on puisse leur tomber dans les bras constituait le plus grand tour de magie sur le Disque-monde.

Le sentiment de béatitude et de fraternité s'évapora en même temps que la rosée du matin. Rincevent et Deuxfleurs furent écartés à coups de coudes lorsque la foule se rua en avant, batailla et se grimpa dessus, mains tendues.

L'In-Octavo s'abattit au milieu de la mêlée hurlant Il y eut un claquement. Un claquement définitif, le cl quement que produit un couvercle qui n'entend pas rouvrir de sitôt.

Rincevent s'adressa à Deuxfleurs entre les jamb quelqu'un.

« Tu sais ce qui va se passer, d'après moi ? d souriant.

— Quoi donc ?

— D'après moi, quand tu vas ouvrir le Bag aura que ton linge à l'intérieur, voilà.

— Oh là là.

— D'après moi, l'In-Octavo sait se charge tout seul. Sera très bien là où il est, auxquels il répara les dommages de la nuit. Il fixa ensuite le Bagage.

« Je suppose que tu n'as pas envie de me dire ce que tu as fait de l'In-Octavo ? »

L'expression du Bagage resta de bois, pourrait-on dire.

« D'accord. Allez, viens. »

Deuxfleurs sortit en plein soleil, dont la lumière était un peu trop forte à son goût, et déambula dans les rues. Tout paraissait neuf et frais, même les odeurs, mais apparemment il n'y avait pas encore beaucoup de monde levé. La nuit avait été longue.

Il trouva Rincevent au pied de la Tour de l'Art ; il dirigeait une équipe d'ouvriers qui avaient fixé une espèce de portique sur le toit et descendaient les sorciers pétrifiés au sol. Un singe avait l'air de le seconder, mais Deuxfleurs n'avait pas la tête à se laisser surprendre par quoi que ce soit.

« On pourra les dépétrifier ? » demanda-t-il.

Rincevent regarda autour de lui. « Quoi ? Oh, c'est toi. Non, ça m'étonnerait. De toute façon, ils ont laissé tomber ce pauvre vieux Wert, j'en ai peur. Une chute de cent cinquante mètres sur les pavés.

— Tu pourras faire quelque chose ?

— De la bonne rocaille. » Rincevent se retourna et fit des signes aux ouvriers.

« Tu es d'excellente humeur, fit Deuxfleurs avec une nuance de reproche dans la voix. Tu n'es pas allé te coucher ?

— C'est drôle, je n'arrivais pas à dormir, dit Rincevent. Je suis sorti respirer l'air frais, et personne n'avait l'air de savoir quoi faire, alors j'ai comme qui dirait rassemblé des gens — il montra le bibliothécaire qui tenta de lui saisir les doigts — et j'ai pris les choses en main. Belle journée, hein ? L'air, on dirait du vin.

— Rincevent, j'ai décidé de...

— Tu sais, je crois que je pourrais me réinscrire, reprit-il joyeusement. Je crois que j'y arriverais, cette fois. Je me vois bien me lancer dans la magie et réussir mes examens. On dit qu'avec une mention très bien on n'a plus de souci à se faire pour l'avenir...

— Parfait, parce que...

— Surtout que ce ne sont pas les places qui manquent au sommet, maintenant que tous les gros bonnets vont servir de butoirs de portes, et...

— Je rentre chez moi.

— ... un gars malin qui a déjà vécu pourrait... Quoi ?

— Oook ?

— J'ai dit que je rentre chez moi, répéta Deuxfleurs tout en cherchant poliment à se débarrasser du bibliothécaire qui insistait pour l'épouiller.

— Où ça, chez toi ? demanda Rincevent, étonné.

— Le chez moi qui est chez moi. Mon chez moi à moi. Là où j'habite, expliqua Deuxfleurs, penaud. De l'autre côté de la mer. Tu sais bien. Là d'où je viens. Voulez-vous bien cesser, je vous prie ?

— Oh.

— Oook ? »

Il y eut une pause. Puis Deuxfleurs reprit :

« Tu vois, la nuit dernière, l'idée m'est venue, j'ai réfléchi, disons... voyager et voir des choses, c'est bien, mais il y a encore moyen de beaucoup s'amuser une fois que c'est fait. Tu sais, ranger toutes les images dans un livre et retrouver des souvenirs.

— Non ?

— Oook ?

— Oh, si. L'important, quand on a beaucoup de choses à retenir, c'est qu'il faut ensuite s'installer quelque part où se les rappeler, tu vois ? Il faut s'arrêter. On n'a jamais vraiment voyagé tant qu'on n'est pas rentré chez soi. Je crois que c'est ça que je veux dire. »

Rincevent se repassa la phrase dans la tête. Ça n'avait pas l'air plus clair la seconde fois que la première.

« Oh, refit-il. Bon, très bien. Si tu le sens comme ça. Tu pars quand, alors ?

— Aujourd'hui, je pense. Il doit bien y avoir un bateau qui va dans ma direction.

— Sûrement », dit gauchement Rincevent. Il se regarda les pieds. Il regarda en l'air. Il se racla la gorge.

« On en a vu de rudes ensemble, hein ? fit Deuxfleurs qui lui donna un coup de coude dans les côtes.

— Ouais, dit Rincevent en grimaçant ce qui ressemblait à un sourire.

— Tu n'es pas fâché, n'est-ce pas ?

— Qui ça ? moi ? Bon sang, non. J'ai mille choses à faire.

— Tout est bien, alors. Écoute, on va prendre un petit déjeuner et après on descendra sur les quais. »

Rincevent approuva d'une tête sinistre, se tourna vers son assistant et tira une banane de sa poche.

« Tu as compris maintenant, tu prends le relais, marmonna-t-il.

— Oook. »

En vérité, pas un seul bâtiment n'appareillait pour une quelconque destination proche de l'Empire agatéen, mais c'était un détail secondaire car Deuxfleurs compta tout bonnement des pièces d'or dans la main du premier capitaine de bateau à peu près potable jusqu'à ce que l'homme vit soudain tous les avantages d'un changement de programme.

Rincevent attendit sur le quai que Deuxfleurs ait fini de verser au capitaine une bonne quarantaine de fois la valeur de son navire.

« Ça y est, c'est arrangé, dit le touriste. Il va me débarquer aux îles Brunes, et de là je trouverai facilement un bateau.

— Merveilleux », fit Rincevent.

Deuxfleurs parut réfléchir un moment. Puis il ouvrit le Bagage et sortit un sac d'or.

« Tu as vu Cohen et Bethan ? demanda-t-il.

— Je crois qu'ils sont partis se marier, répondit le sorcier. J'ai entendu Bethan dire que c'était maintenant ou jamais.

— Bon, quand tu les verras, donne-leur ça, dit Deux-fleurs en lui tendant le sac. Je sais que ça coûte cher de s'installer, au début. »

Deuxfleurs n'avait jamais compris grand-chose aux écarts incommensurables entre les cours du change. Le sac aurait facilement permis à Cohen de s'installer à la tête d'un petit royaume.

« Je le remettrai à la première occasion, dit-il, et à sa surprise il s'aperçut qu'il le pensait.

— Bon. J'ai eu l'idée de t'offrir quelque chose, à toi aussi.

— Oh, ce n'est pas... »

Deuxfleurs farfouilla dans le Bagage et tira un grand sac. Il se mit à y entasser ses vêtements, son argent et sa boîte à images, jusqu'à ce que le coffre fût vide. La dernière chose qu'il mit dans son sac, ce fut sa boîte-souvenir à cigarettes musicale, au couvercle incrusté de coquillages, soigneusement enveloppée dans du papier de soie.

« Il est à toi, dit-il en refermant le Bagage. Je n'en aurai plus vraiment besoin, et de toute façon il ne logera pas sur mon armoire.

— Quoi ?

— Tu n'en veux pas ?

— Ben, je... évidemment, mais... il est à toi. C'est toi qu'il suit, pas moi.

— Bagage, dit Deuxfleurs, ça, c'est Rincevent. Tu es à lui, compris ? »

Le Bagage étendit lentement les jambes, se retourna très posément et regarda Rincevent.

« Je crois qu'il n'appartient à personne d'autre qu'à lui-même, en réalité, dit Deuxfleurs.

— Oui, fit Rincevent d'une voix hésitante.

— Bon, alors voilà », dit Deuxfleurs. Il tendit la main. « Au revoir, Rincevent. Je t'enverrai une carte postale une fois rentré. Enfin, quelque chose.

— Oui. Si jamais tu repasses par ici, on saura toujours où me trouver.

— Oui. Bon. Alors voilà.

— Voilà, c'est ça.

— C'est ça.

— Ouaip. »

Deuxfleurs gravit la planche d'embarquement que l'équipage impatient hissa à bord derrière lui.

Le tambour de nage donna la cadence et le bateau gagna lentement les eaux turbides de l'Ankh, qui avaient retrouvé leur ancien niveau, puis il prit la marée et vira vers le large.

Rincevent garda les yeux sur lui jusqu'à ce qu'il ne fût plus qu'un point. Puis il les baissa sur le Bagage. Le Bagage le fixa à son tour.

« Écoute, dit-il. Va-t-en. Je te rends la liberté, tu comprends ? »

Il lui tourna le dos et s'éloigna à grandes enjambées. Au bout de quelques secondes il eut conscience de pas menus derrière lui. Il pivota d'un bloc.

« J'ai dit que je ne voulais pas de toi ! » le rembarra-t-il sèchement, et il lui flanqua un coup de pied.

Le Bagage courba l'échine. Rincevent se remit en marche.

Quelques mètres plus loin, il s'arrêta pour écouter. Aucun bruit. Lorsqu'il se retourna, le Bagage était là où il l'avait laissé. Il paraissait replié sur lui-même. Rincevent réfléchit un instant.

« Bon, ça va, dit-il. Viens. »

Il lui tourna à nouveau le dos et repartit de son allure décidée vers l'Université. Au bout de quelques minutes, le Bagage eut l'air de prendre une décision, étendit une fois encore les jambes et le suivit à pas feutrés. Il n'avait sans doute guère le choix.

Ils longèrent le quai et entrèrent dans la ville, deux points dans un décor de plus en plus petit à mesure que le champ s'élargissait pour englober un minuscule navire engagé dans une vaste mer verte qui n'était qu'une partie d'un éclatant océan circulaire bordant un disque environné de tourbillons de nuages, disque posé sur le dos de quatre éléphants géants debout sur la carapace d'une gigantesque tortue.

Qui bientôt ne fut plus qu'une lueur parmi les étoiles et disparut.

AINSI PREND FIN
LE HUITIÈME SORTILÈGE,
SECOND LIVRE DES
ANNALES DU DISQUE-MONDE

Achevé d'imprimer sur les presses de

BUSSIÈRE

GROUPE CPI

à Saint-Amand-Montrond (Cher)
en novembre 2004

POCKET - 12, avenue d'Italie - 75627 Paris Cedex 13
Tél. : 01-44-16-05-00

— N° d'imp. : 45253. —
Dépôt légal : octobre 1997.
Suite du premier tirage : novembre 2004.

Imprimé en France